KIDS 키즈 수학 전문가가 만든 연산 교재

원리셈

10 만들어 빼기

교과 과정 완벽 대비
수학 전문가가 만든 연산 교재
다양한 형태의 문제로 재미있게 연습하는 원리셈

지은이의 말

수학은 원리로부터

수학은 구체물의 관계를 숫자와 기호의 약속으로 나타내는 추상적인 학문입니다. 이 점이 아이들이 수학을 어려워하는 가장 큰 이유입니다. 이러한 수학은 제대로 된 이해를 동반할 때 비로소 힘을 발휘할 수 있습니다. 수학은 어느 단계에서나 원리가 가장 중요합니다.

수학 교육의 변화

답을 내는 방법만 알아도 되는 수학 교육의 시대는 지나고 있습니다. 연산도 한 가지 방법만 반복 연습하기 보다 다양한 풀이 방법이 중요합니다. 교과서는 왜 그렇게 해야 하는지 가르쳐 주고 다양한 방법을 생각하도록 하지만, 학생들은 단순하게 반복되는 연습에 원리는 잊어버리고 기계적으로 답을 내다보니 응용된 내용의 이해가 부족합니다.

연산 학습은 꾸준히

유초등 학습 단계에 따라 4권~6권의 구성으로 매일 10분씩 꾸준히 공부할 수 있습니다. 원리와 다양한 방법의 학습은 그림과 함께 재미있게, 연습은 다양하게 진행하되 마무리는 집중하여 진행하도록 했습니다. 부담 없는 하루 학습량으로 꾸준히 공부하다 보면 어느새 연산 실력이 부쩍 늘어난 것을 알 수 있습니다.

개정판 원리셈은

동영상 강의 확대/초등 고학년 원리 학습 과정 강화 등으로 원리와 개념, 계산 방법을 더 쉽게 이해할 수 있도록 하고, 연습을 강화하여 학습의 완성도를 더했습니다.

학부모님들의 연산 학습에 대한 고민이 원리셈으로 해결되었으면 하는 바람입니다.

지은이 천종현

원리셈의 특징

원리셈의 학습 구성

한 권의 책은 매일 10분 / 매주 5일 / 6주 학습

원리셈의 시나브로 강해지는 학습 알고리즘

키즈 원리셈은

시작은 원리의 이해로부터, 마무리는 충분한 연습과 성취도 확인까지

체계적인 학습 구성

쉽게 이해하고 스스로 공부!
실수가 많은 부분은 별도로 확인하고 연습!
주제에 따라 실전을 위한 확장적 사고가 필요한 내용까지!
원리로 시작되는 단계별 학습으로 곱셈구구마저 저절로 외워진다고 느끼도록!

원리셈 전체 단계

키즈 원리셈

5·6세	
1권	5까지의 수
2권	10까지의 수
3권	10까지의 수 세어 쓰기
4권	모아 세기
5권	빼어 세기
6권	크기 비교와 여러 가지 세기

6·7세	
1권	10까지의 더하기 빼기 1
2권	10까지의 더하기 빼기 2
3권	10까지의 더하기 빼기 3
4권	20까지의 더하기 빼기 1
5권	20까지의 더하기 빼기 2
6권	20까지의 더하기 빼기 3

7·8세	
1권	7까지의 모으기와 가르기
2권	9까지의 모으기와 가르기
3권	덧셈과 뺄셈
4권	10 가르기와 모으기
5권	10 만들어 더하기
6권	10 만들어 빼기

초등 원리셈

1학년	
1권	받아올림/내림 없는 두 자리 수 덧셈, 뺄셈
2권	덧셈구구
3권	뺄셈구구
4권	□ 구하기
5권	세 수의 덧셈과 뺄셈
6권	(두 자리 수)±(한 자리 수)

2학년	
1권	두 자리 수 덧셈
2권	두 자리 수 뺄셈
3권	세 수의 덧셈과 뺄셈
4권	곱셈
5권	곱셈구구
6권	나눗셈

3학년	
1권	세 자리 수의 덧셈과 뺄셈
2권	(두/세 자리 수)×(한 자리 수)
3권	(두/세 자리 수)×(두 자리 수)
4권	(두/세 자리 수)÷(한 자리 수)
5권	곱셈과 나눗셈의 관계
6권	분수

4학년	
1권	큰 수의 곱셈
2권	큰 수의 나눗셈
3권	분모가 같은 분수의 덧셈과 뺄셈
4권	소수의 덧셈과 뺄셈

5학년	
1권	혼합 계산
2권	약수와 배수
3권	분모가 다른 분수의 덧셈과 뺄셈
4권	분수와 소수의 곱셈

6학년	
1권	분수의 나눗셈
2권	소수의 나눗셈
3권	비와 비율
4권	비례식과 비례배분

키즈 원리셈의 단계별 학습 목표

초등학교 입학 준비는 키즈 원리셈으로!!

키즈 원리셈 단계를 고를 때는 아이의 배경지식에 따라 아래의 학습 목표를 참고하세요.

5·6세 단계

수와 연산을 처음 접하는 아이들을 위한 단계
수를 익히고, 덧셈, 뺄셈을 이해
덧셈, 뺄셈 기호는 나오지 않지만, 덧셈, 뺄셈의 상황을 그림으로 제시
필기를 최소화 / 붙임 딱지 이용
매주 마지막 5일차에는 재미있게 사고력 키우기 "사고력 팡팡"

6·7세 단계

10까지의 수를 알지만 덧셈, 뺄셈을 처음 하는 아이들을 위한 단계
1에서 20까지의 수를 익히면서 더하기 빼기 1, 2, 3
수를 똑바로 세면 덧셈, 거꾸로 세면 뺄셈이라는 것을 이해하고 연산에 이용
수 세기를 먼저 배운 후, 같은 개념을 덧셈, 뺄셈에 적용
10이 넘어가는 덧셈도 받아올림을 하는 것이 아니라 수의 순서로 이해

7·8세 단계

한 자리 덧셈, 뺄셈의 개념은 있지만 연습이 필요한 아이들을 위한 단계
초등 1학년 1학기 교과에 해당하는 내용
가르기와 모으기를 충분하게 연습하면서 속도와 정확성을 올릴 수 있는 단계
1권~4권은 가르기와 모으기를 연습한 후 덧셈, 뺄셈의 개념으로 확장하여 연습
5권은 받아올림, 6권은 받아내림의 원리를 아주 쉽게 풀어놓아서 받아올림과 받아내림을 처음 배우는 아이들에게 강추!!

7·8세 단계 구성과 특징

1~4권은 가르기 모으기를 기본으로 받아올림, 받아내림 없는 한 자리 덧셈, 뺄셈을 연습하고, 5, 6권에서 각각 받아올림, 받아내림이 있는 한 자리 덧셈, 뺄셈의 원리를 배웁니다. 초등 입학을 준비할 수 있는 교재로 교과서로는 초등 1학년 1학기 내용을 주로 담고 있습니다.

원리

구체물을 그림으로 보고, 동그라미를 그리는 등 원리를 직관적으로 이해하고 쉽게 공부할 수 있도록 하였습니다.

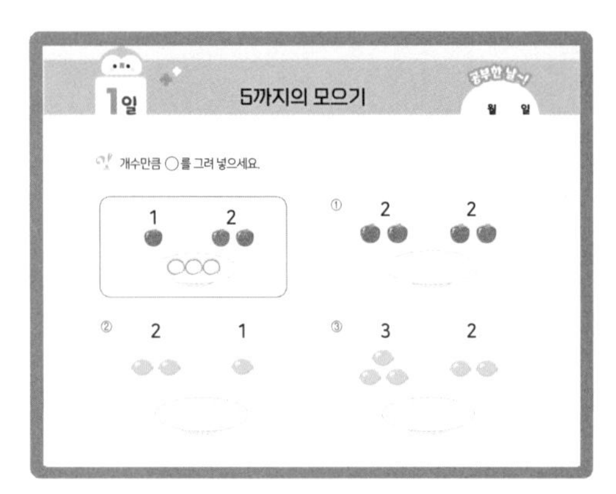

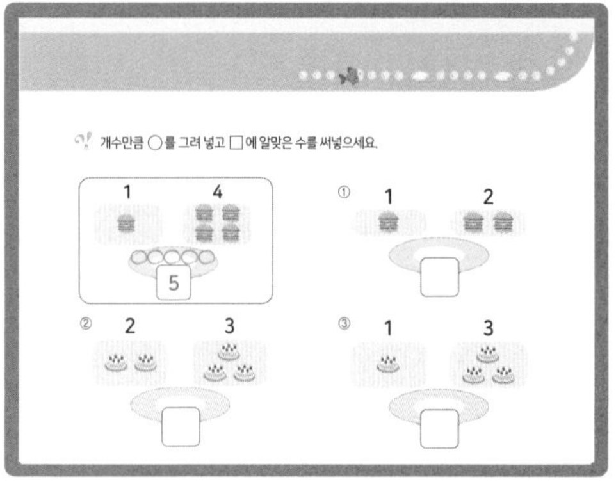

연습

학습 순서는 원리를 생각하며 연습할 수 있도록 배치하였고, 이해를 도울 수 있는 그림과 함께 연습한 후, 숫자와 기호로 된 문제도 꾸준히 반복할 수 있도록 하였습니다.

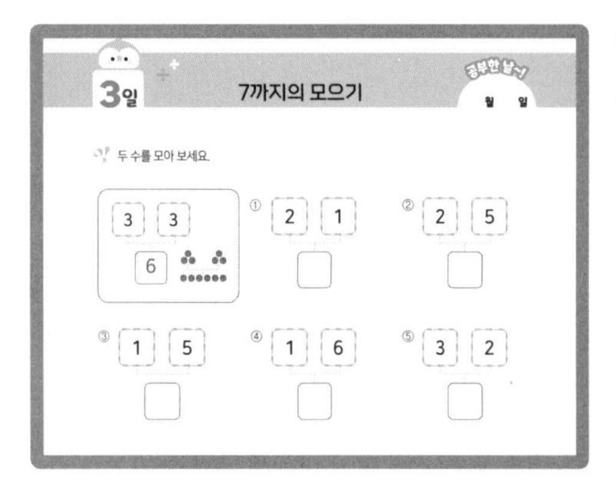

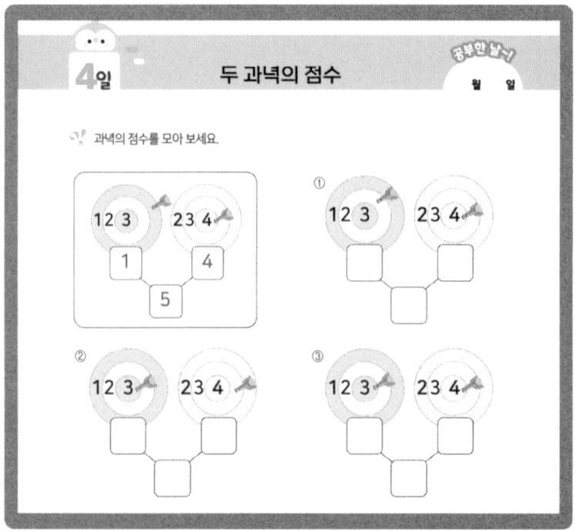

사고력 연산

수학은 규칙의 학문입니다. 사고력 연산의 시작은 새로운 규칙을 이해하고 적용하는 것으로부터 시작합니다. 연산의 개념을 기본으로 사고를 확장할 수 있도록 하였습니다.

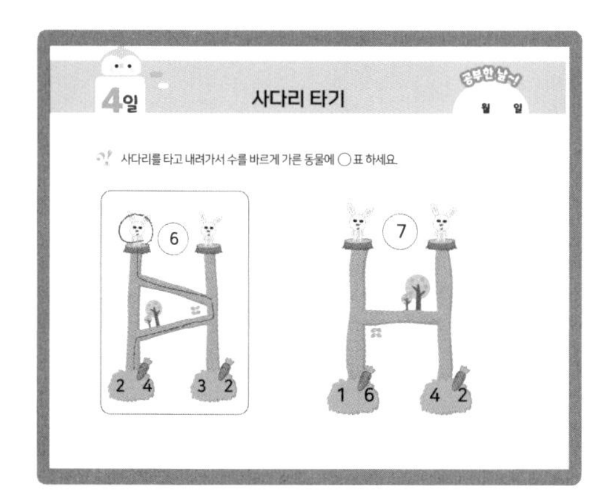

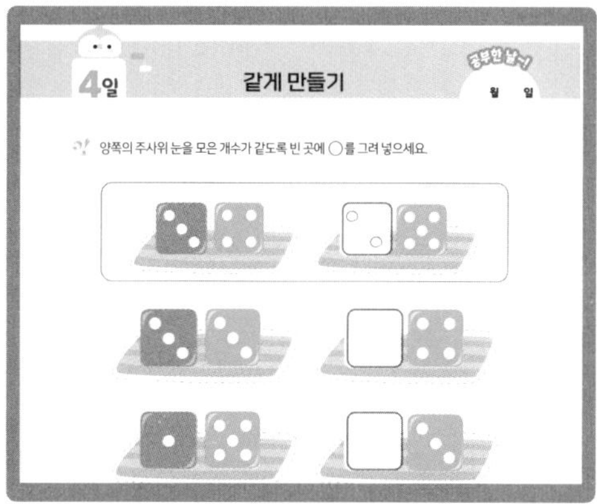

도전! 계산왕

주제가 구분되는 두 개의 단원은 정확성과 빠른 계산을 위한 집중 연습으로 주제를 마무리 합니다.

성취도 평가

개념의 이해와 연산의 수행에 부족한 부분은 없는지 성취도 평가를 통해 확인합니다.

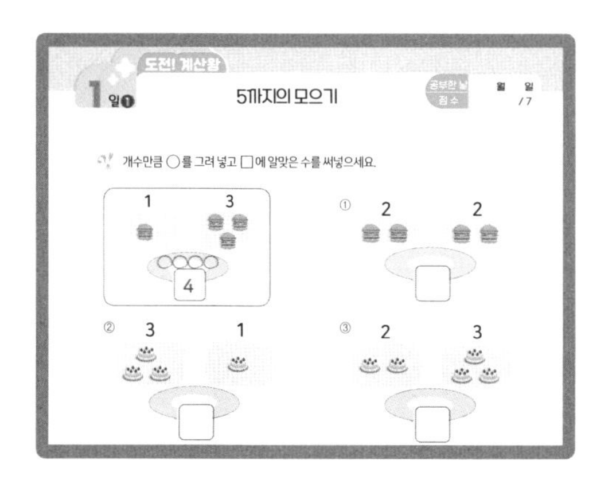

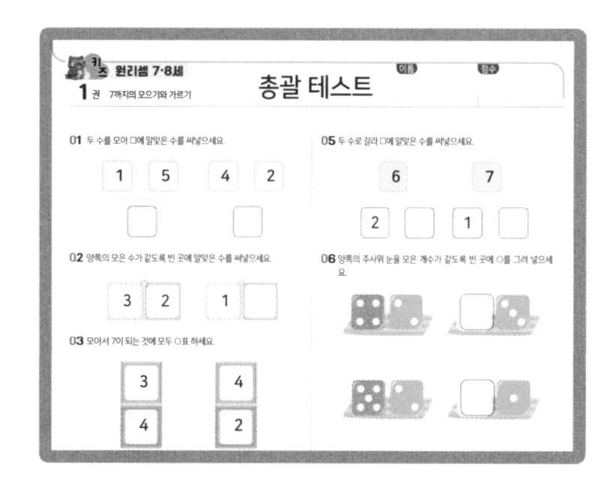

책의 사이사이에 학생의 학습을 돕기 위한 저자의 내용을 잘 이용하세요.

단원의 학습 내용과 방향

한 주차가 시작되는 쪽의 아래에 그 단원의 학습 내용과 어떤 방향으로 공부하는지를 설명해 놓았습니다.
학부모님이나 학생이 단원을 시작하기 전에 가볍게 읽어 보고 공부하도록 해 주세요.

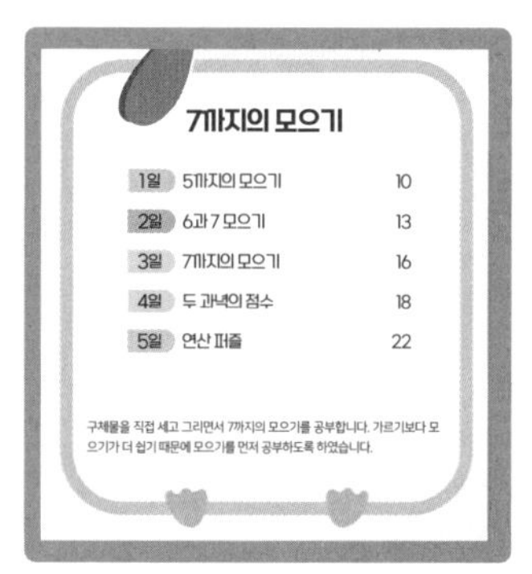

이해를 돕는 저자의 동영상 강의

공부를 시작하기 전에 표지의 QR코드를 확인하세요. 책의 학습 흐름과 목표, 그리고 그동안 원리셈을 먼저 공부한 아이들이 겪은 어려움에 대한 대처 방안 등을 설명해 줍니다.

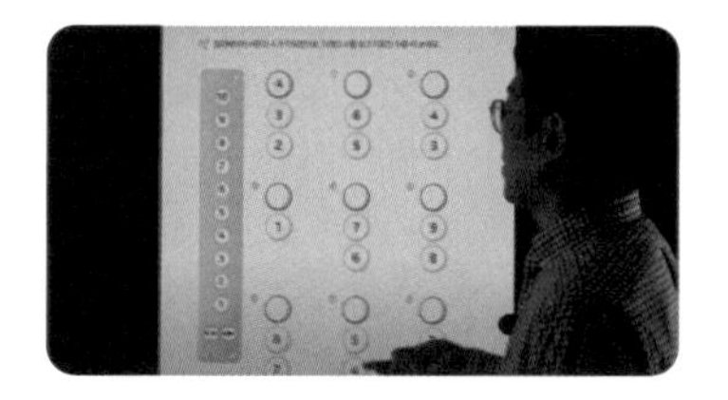

학습 Tip

간략한 도움글은 각 쪽의 아래에 있습니다.

천종현수학연구소 네이버 카페와 홈페이지를 활용하세요.

카페와 홈페이지에는 추가 문제 자료가 있고, 연산 외에서 수학 학습에 어려움을 상담 받을 수 있습니다.

네이버에서 천종현수학연구소를 검색하세요.

10이 되는 뺄셈

10보다 큰 수에서 빼어서 10이 되는 수를 알아보고, 차가 10이 되는 두 수를 찾아봅니다. 어려운 계산 과정은 아니지만 받아내림이 있는 두 자리 수와 한 자리 수의 뺄셈에서 반드시 필요한 연산 과정입니다.

10이 되는 뺄셈

월 일

□에 알맞은 수를 써넣으세요.

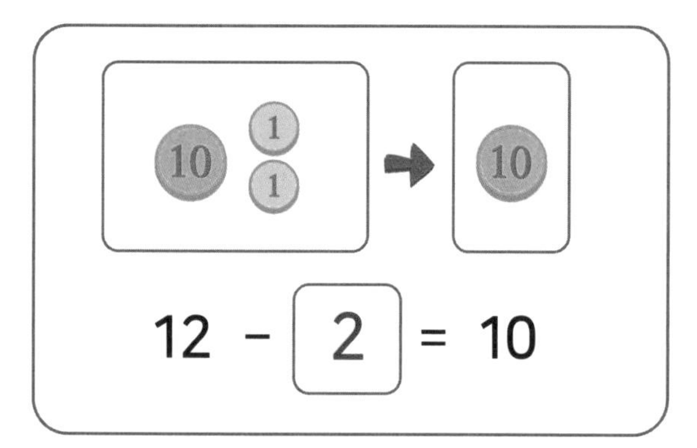

12 - [2] = 10

① 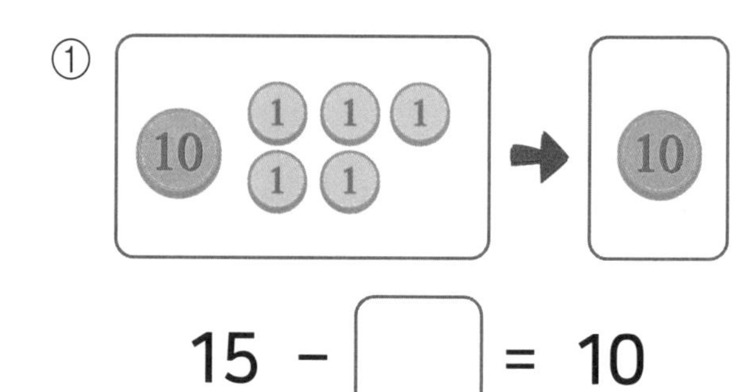

15 - □ = 10

② 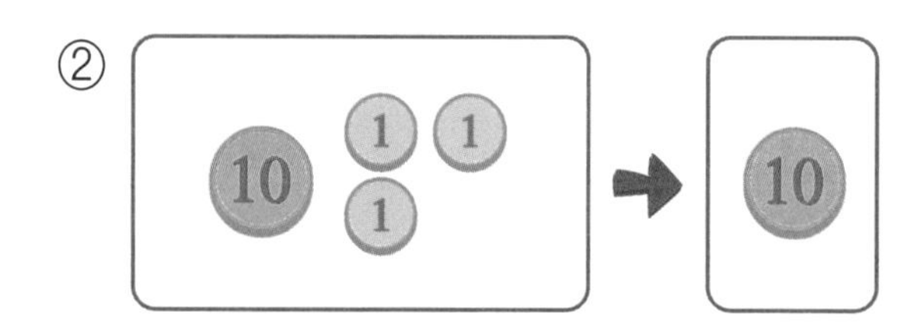

13 - □ = 10

③

16 - □ = 10

④ 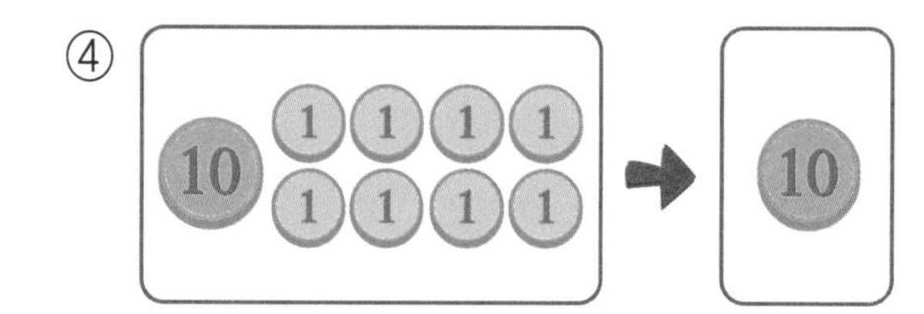

18 - □ = 10

⑤

17 - □ = 10

⑥ 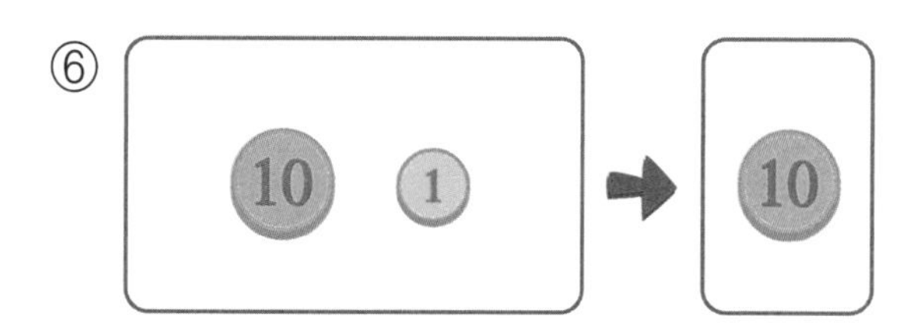

11 - □ = 10

⑦

14 - □ = 10

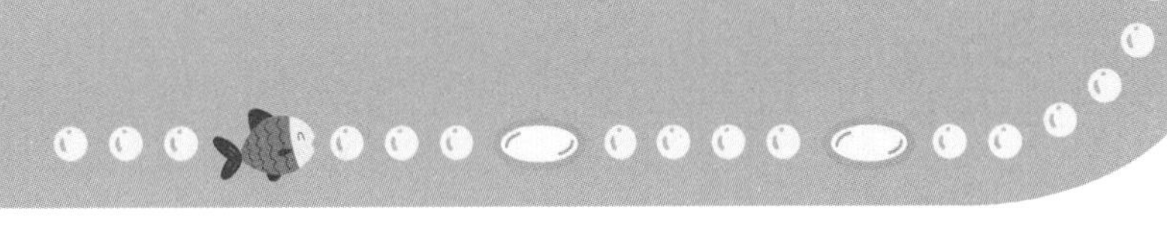

□에 알맞은 수를 써넣으세요.

16 - [6] = 10	[14] - 4 = 10

① 13 - □ = 10 ② □ - 2 = 10

③ 15 - □ = 10 ④ □ - 3 = 10

⑤ 18 - □ = 10 ⑥ □ - 7 = 10

⑦ 11 - □ = 10 ⑧ □ - 5 = 10

⑨ 19 - □ = 10 ⑩ □ - 6 = 10

⑪ 14 - □ = 10 ⑫ □ - 1 = 10

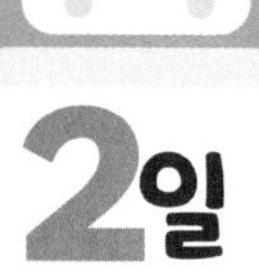

차가 10인 두 수

차가 10인 두 수를 찾아 묶어 보세요.

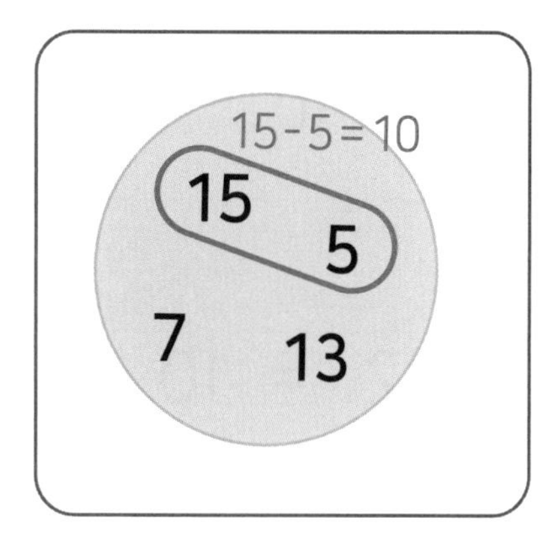

18 7 11 1

6 14 4 15

3 8 13 11

9 4 11 19

19 6 4 16

7 3 12 17

6 12 13 2

차가 10이 되는 수를 찾아 길을 그려 보세요.

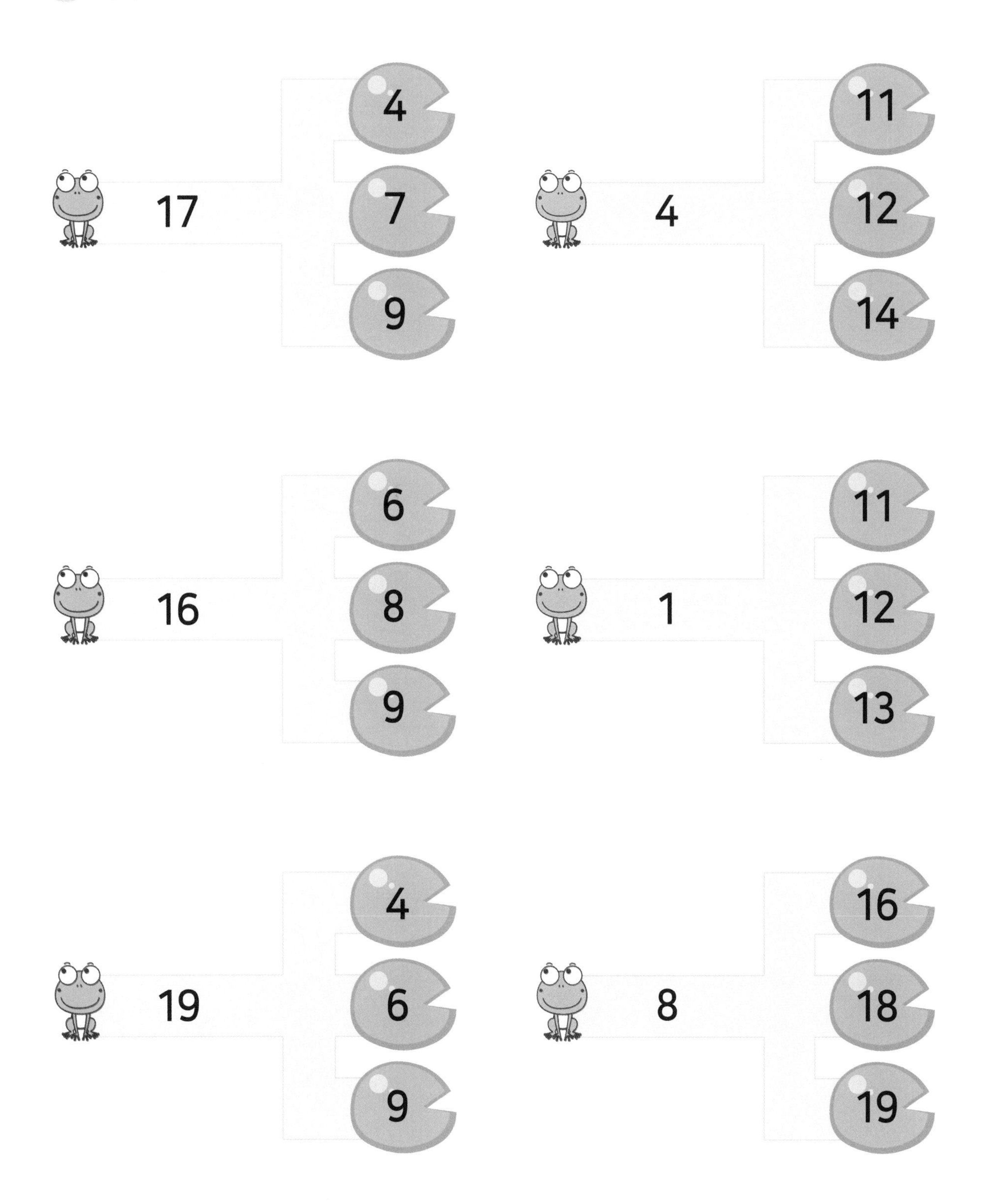

두 수의 차가 10인 칸을 따라가면서 선을 이어 보세요.

규칙 찾기

규칙을 보고 빈 곳에 알맞은 수를 써넣으세요.

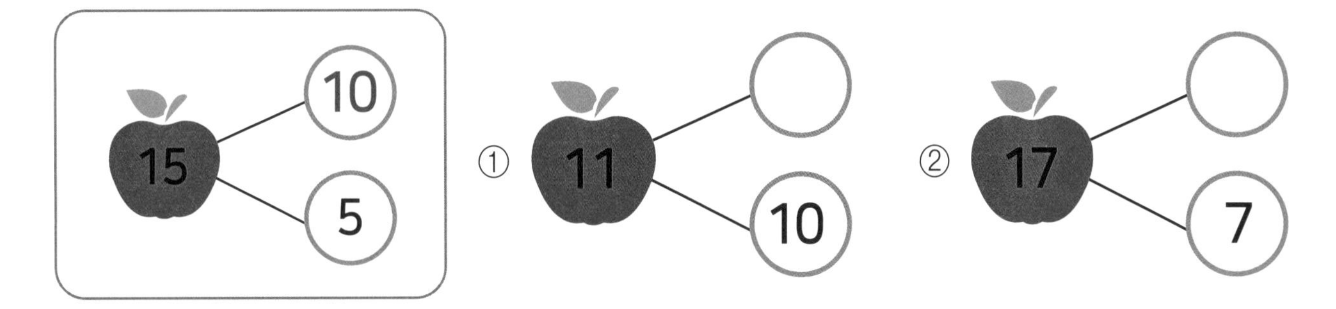

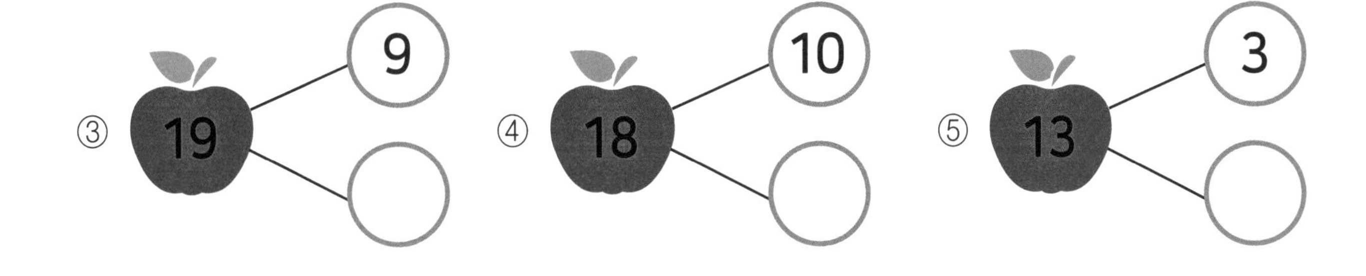

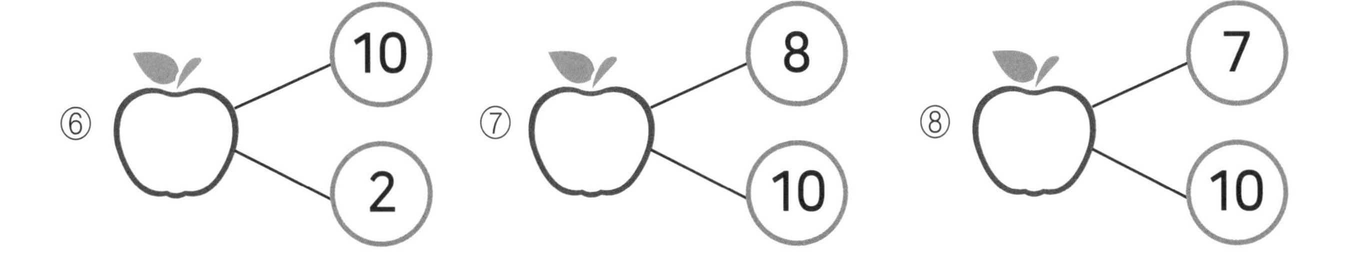

규칙을 보고 □에 알맞은 수를 써넣으세요.

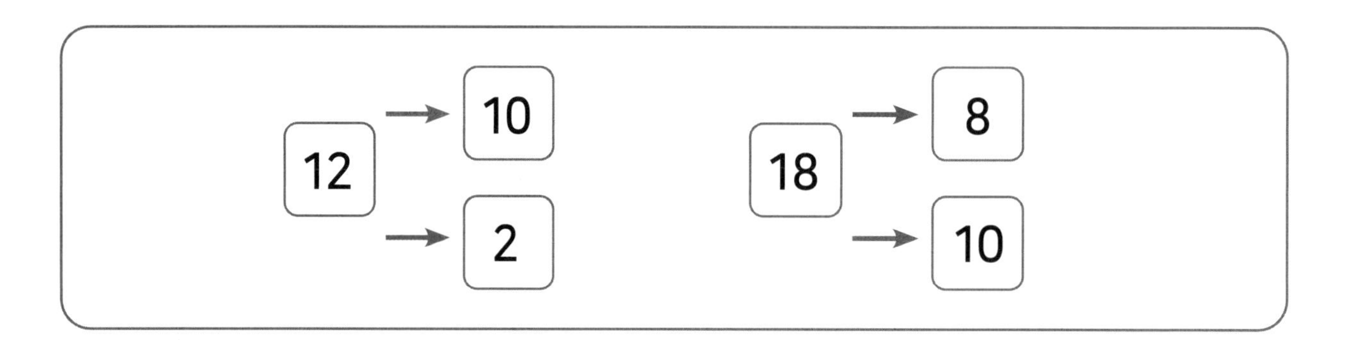

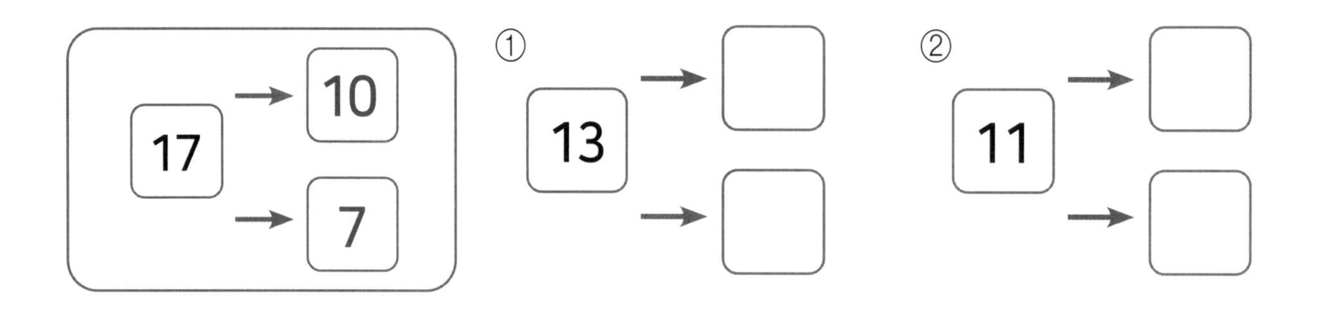

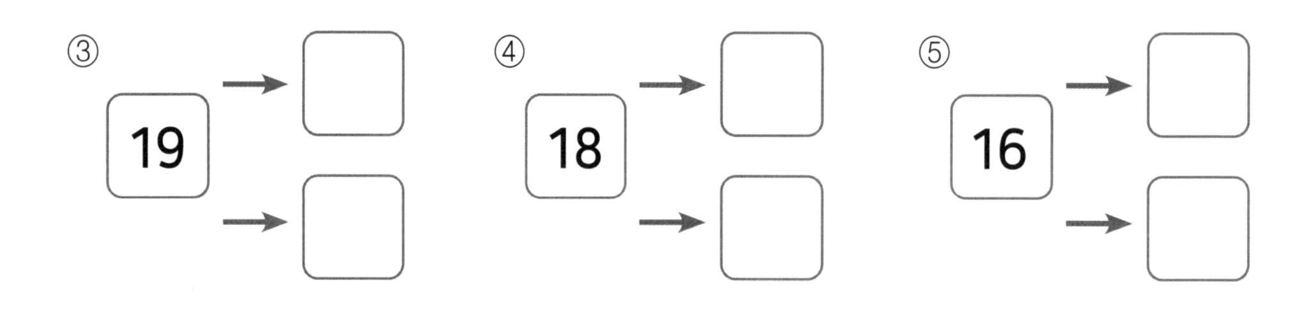

⑥ 12 → □ → □

⑦ 14 → □ → □

⑧ 15 → □ → □

4일

연산 퍼즐

월 일

□에 알맞은 수를 넣어 계산식을 완성하세요.

12 6 2

12 - 2 = 10

① 15 5 12

□ - □ = 10

② 4 7 17

□ - □ = 10

③ 3 13 2

□ - □ = 10

④ 6 18 8

□ - □ = 10

⑤ 14 11 1

□ - □ = 10

⑥ 15 4 14

□ - □ = 10

⑦ 6 13 16

□ - □ = 10

□에 알맞은 수를 넣어 계산식을 완성하세요.

① 11 3 1

□ − □ = 10

② 6 8 18

□ − □ = 10

③ 3 4 14

□ − □ = 10

④ 19 9 5

□ − □ = 10

⑤ 4 5 15

□ − □ = 10

⑥ 13 14 4

□ − □ = 10

⑦ 17 7 15

□ − □ = 10

⑧ 16 8 6

□ − □ = 10

문장제

글과 그림을 보고 물음에 알맞은 식을 세우고 답을 구하세요.

민섭이는 달리기 대회에서 1등을 하여 상품으로 공책 12권과 연필 16자루를 받았습니다.

① 동생에게 공책 2권을 주려고 합니다. 남게 되는 공책은 몇 권일까요?

식 : ______________________ 답 : ______ 권

② 형에게는 연필 6자루를 주려고 합니다. 남게 되는 연필은 몇 자루일까요?

식 : ______________________ 답 : ______ 자루

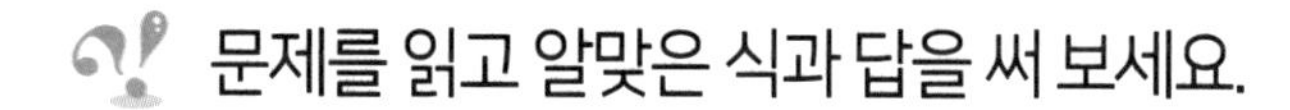

문제를 읽고 알맞은 식과 답을 써 보세요.

① 어머니께서 7일 전 고구마 17개를 사오셨습니다. 7일 동안 하루에 하나씩 먹었다면 남은 고구마는 몇 개일까요?

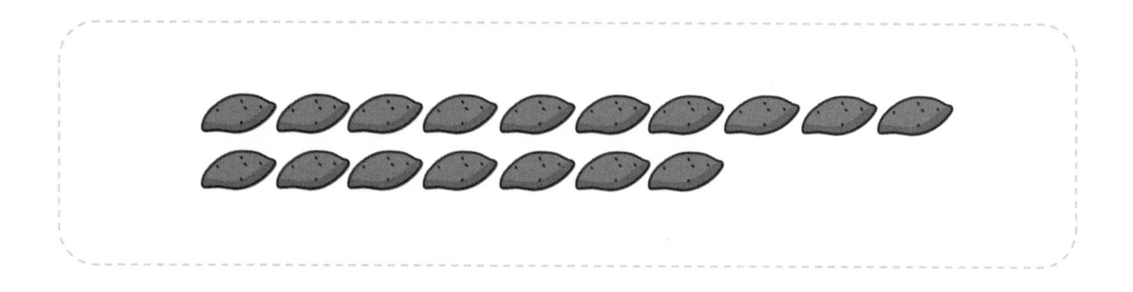

식 : ______________________ 답 : ______ 개

② 민성이는 사탕 14개, 현아는 사탕 4개가 있습니다. 민성이는 현아보다 몇 개의 사탕을 더 가지고 있을까요?

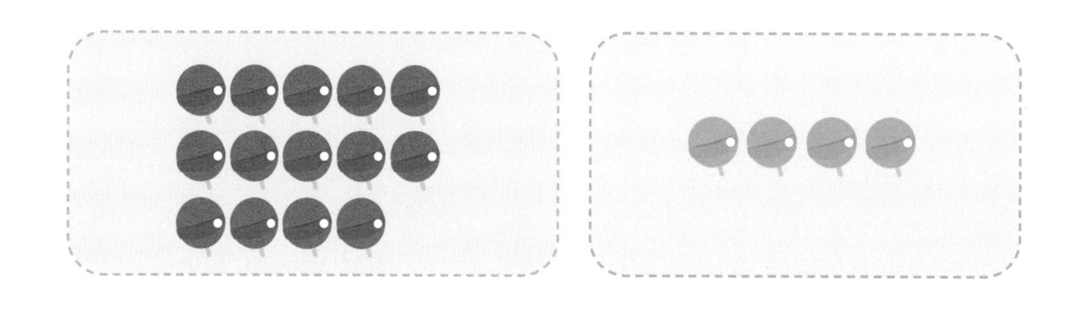

식 : ______________________ 답 : ______ 개

문제를 읽고 알맞은 식과 답을 써 보세요.

① 민수네 집에는 못 13개가 있는데 벽에 액자를 걸기 위해 아버지께서 못 3개를 사용하셨습니다. 민수네 집에 남아 있는 못은 몇 개일까요?

식 : ______________________ 답 : ________ 개

② 어항에 물고기 15마리가 있는데 5마리를 꺼내어 다른 어항으로 옮겼습니다. 어항에 남아 있는 물고기는 몇 마리일까요?

식 : ______________________ 답 : ________ 마리

③ 차량 정비소에 14대의 차가 정비를 받기 위해 대기하고 있습니다. 1시간에 1대씩 정비를 받을 수 있다면 4시간 후에 정비소에 대기하고 있는 차량은 몇 대일까요?

식 : ______________________ 답 : ________ 대

문제를 읽고 알맞은 식과 답을 써 보세요.

① 민수네 반 교실에 11명의 학생들이 있었는데 선생님께서 반장을 부르셔서 반장이 교실을 나갔습니다. 교실에 남아 있는 학생은 몇 명일까요?

식 : ______________________ 답 : ______ 명

② 18개의 수학 문제를 푸는 과제가 있는데 8문제를 풀지 못해서 남겨 놓았습니다. 풀어 놓은 수학 문제는 몇 문제일까요?

식 : ______________________ 답 : ______ 문제

③ 과자 한 봉지에 16개의 과자가 들어 있습니다. 과자 한 봉지를 뜯어 6개를 먹다 친구에게 모두 주었다면 친구가 받은 과자 봉지에는 과자가 몇 개 들어 있을까요?

식 : ______________________ 답 : ______ 개

10 만들어 빼기

두 수를 빼서 10이 되는 세 수의 뺄셈과 10에서 빼고 더하는 세 수의 덧셈과 뺄셈을 계산해 봅니다. 두 계산 과정 모두 받아내림이 있는 두 수의 뺄셈을 계산하기 위한 예비 학습 단계입니다.

10 만들어 빼기

□에 알맞은 수를 써넣으세요.

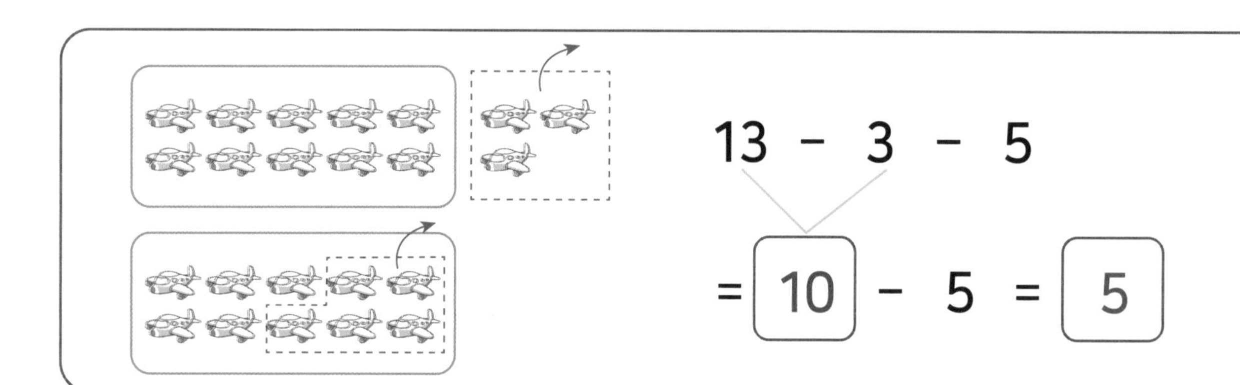

①

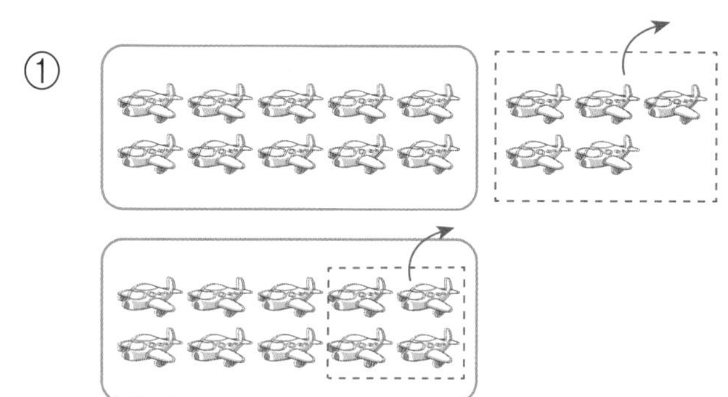

15 - 5 - 4

= □ - 4 = □

②

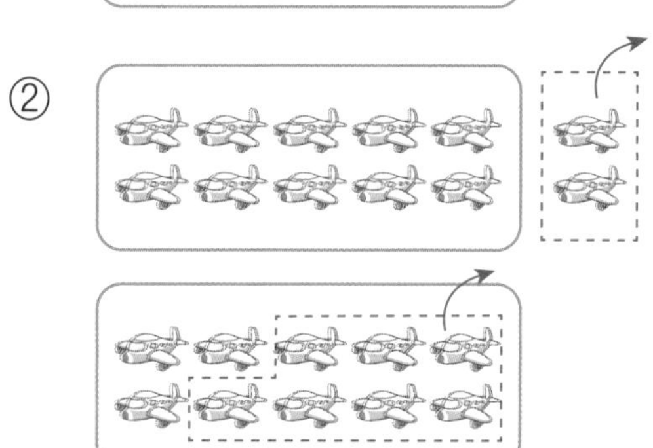

12 - 2 - 7

= □ - 7 = □

③

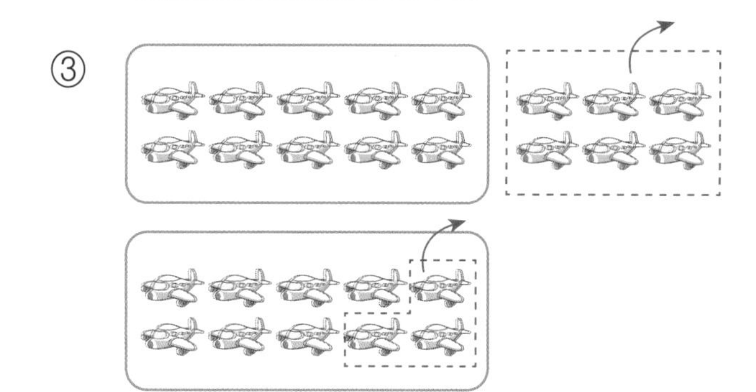

16 - 6 - 3

= □ - 3 = □

□에 알맞은 수를 써넣으세요.

$16 - 6 - 2 = \boxed{10} - 2 = \boxed{8}$

① $17 - 7 - 6 = \square - 6 = \square$

② $11 - 1 - 4 = \square - 4 = \square$

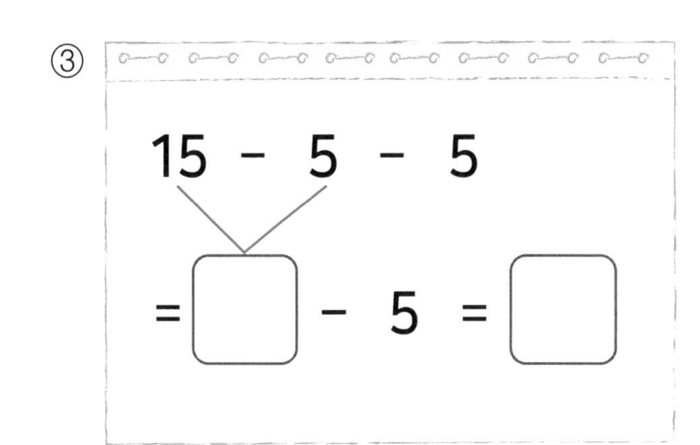

③ $15 - 5 - 5 = \square - 5 = \square$

④ $18 - 8 - 9 = \square - 9 = \square$

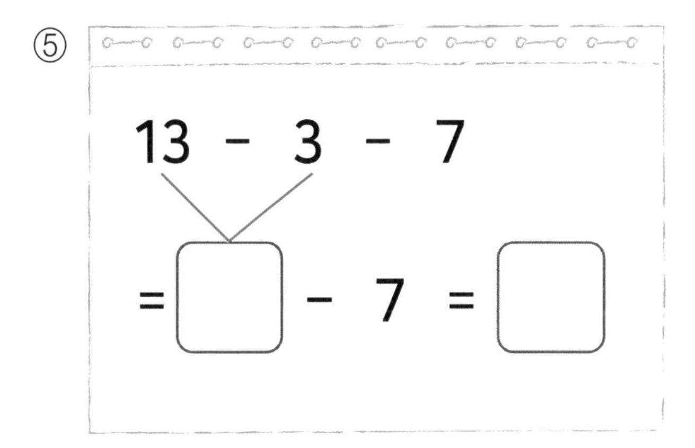

⑤ $13 - 3 - 7 = \square - 7 = \square$

□에 알맞은 수를 써넣으세요.

$15 - 5 - 6 = \boxed{4}$ (15 − 5 → 10)

① $13 - 3 - 2 = \square$

② $11 - 1 - 8 = \square$

③ $16 - 6 - 7 = \square$

④ $14 - 4 - 3 = \square$

⑤ $17 - 7 - 1 = \square$

⑥ $18 - 8 - 9 = \square$

⑦ $12 - 2 - 8 = \square$

⑧ $19 - 9 - 5 = \square$

⑨ $15 - 5 - 2 = \square$

⑩ $11 - 1 - 7 = \square$

⑪ $18 - 8 - 3 = \square$

⑫ $16 - 6 - 4 = \square$

⑬ $14 - 4 - 6 = \square$

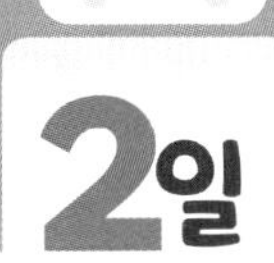

10에서 빼고 더하기

□에 알맞은 수를 써넣으세요.

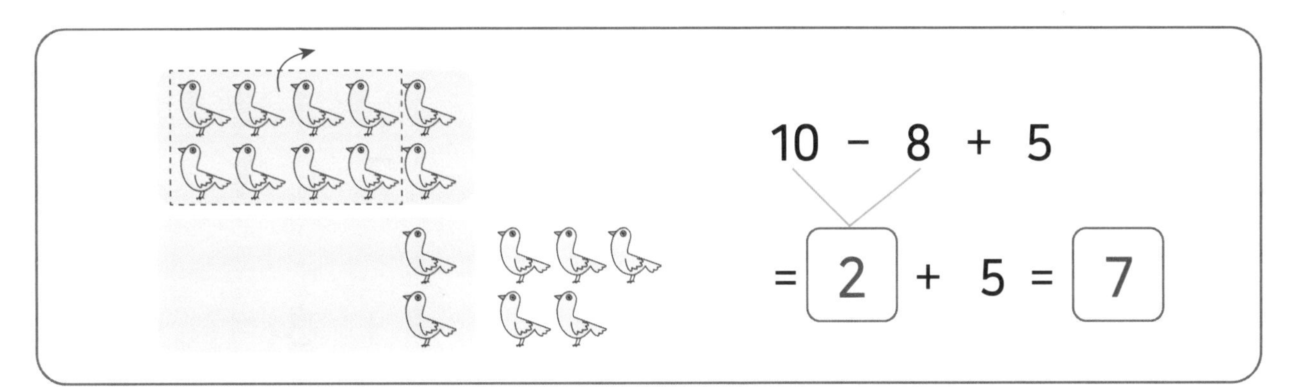

①

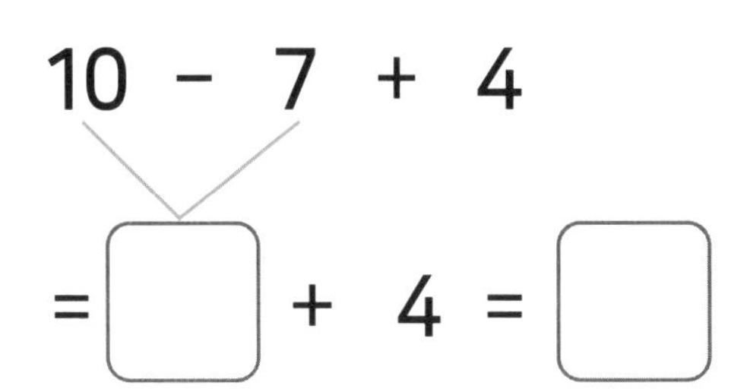

②

10 − 4 + 2

= □ + 2 = □

③

10 − 3 + 1

= □ + 1 = □

□에 알맞은 수를 써넣으세요.

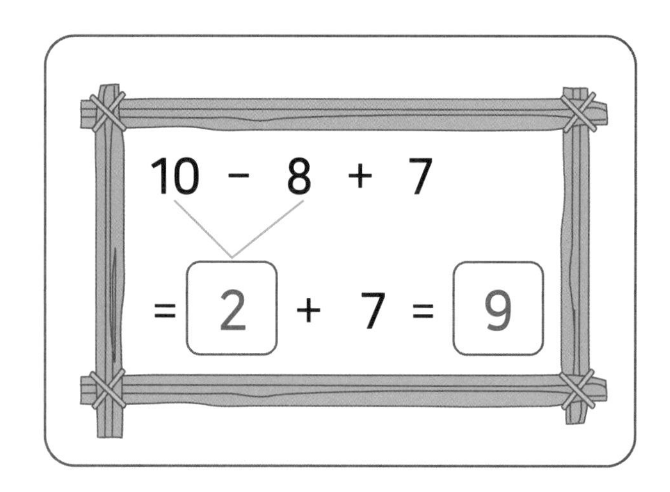

①

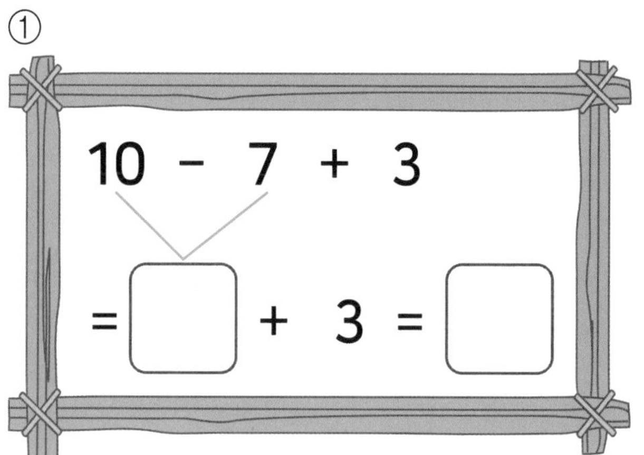

②

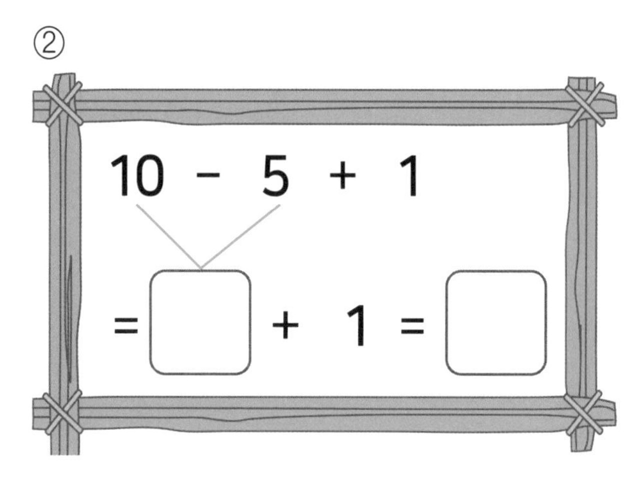

③

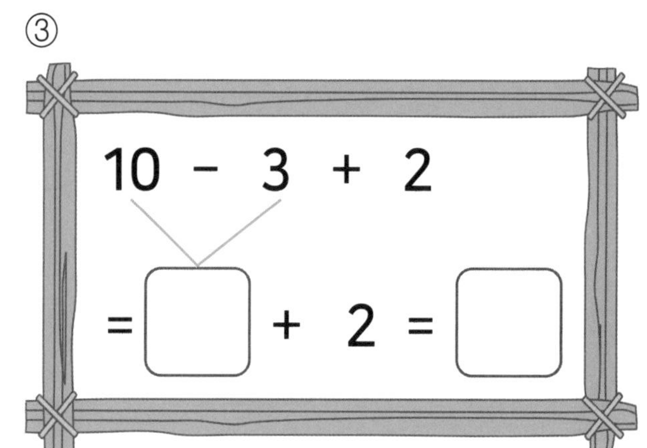

④

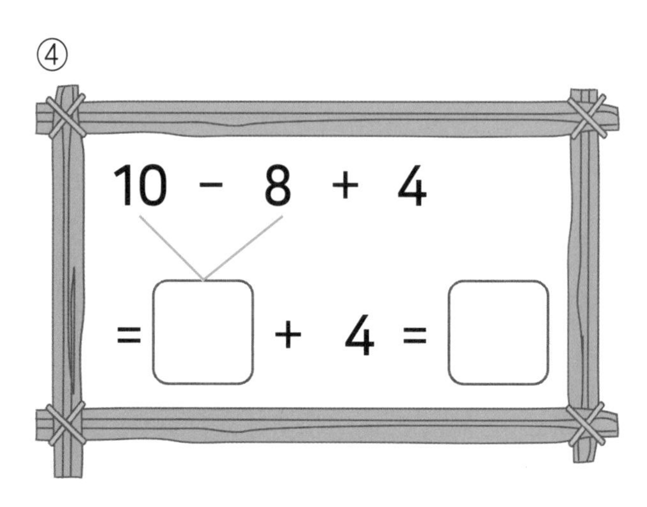

⑤

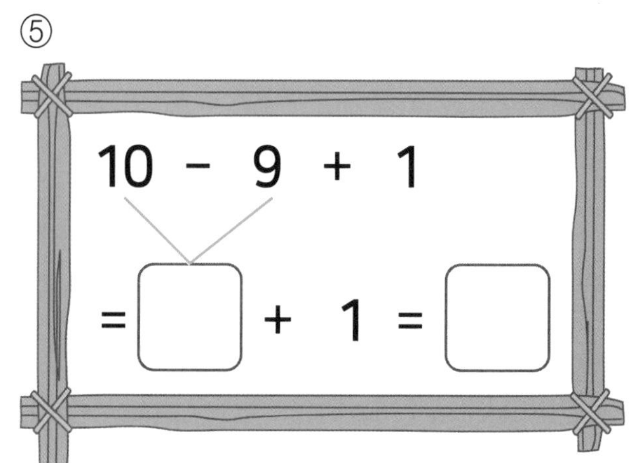

□에 알맞은 수를 써넣으세요.

① $10 - 6 + 3 = \square$

② $10 - 6 + 5 = \square$

③ $10 - 4 + 1 = \square$

④ $10 - 8 + 7 = \square$

⑤ $10 - 8 + 3 = \square$

⑥ $10 - 5 + 4 = \square$

⑦ $10 - 7 + 4 = \square$

⑧ $10 - 9 + 4 = \square$

⑨ $10 - 9 + 8 = \square$

⑩ $10 - 4 + 3 = \square$

⑪ $10 - 5 + 3 = \square$

⑫ $10 - 3 + 1 = \square$

⑬ $10 - 7 + 6 = \square$

⑭ $10 - 5 + 2 = \square$

세 수의 계산

월 일

계산 결과가 틀린 것을 찾아 바르게 고쳐 보세요.

$13-3-2=8$	$15-5-2=8$
$10-6+5=$ ~~8~~ 9	$10-4+3=9$

$18-8-3=7$	$10-8+7=8$
$10-3+2=9$	$16-6-4=6$

$17-7-1=1$	$10-7+5=8$
$10-5+2=7$	$14-4-6=4$

$10-7+5=8$	$10-9+4=5$
$12-2-8=2$	$14-4-6=6$

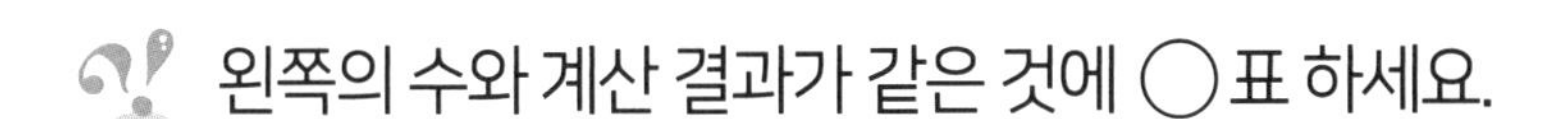

왼쪽의 수와 계산 결과가 같은 것에 ◯표 하세요.

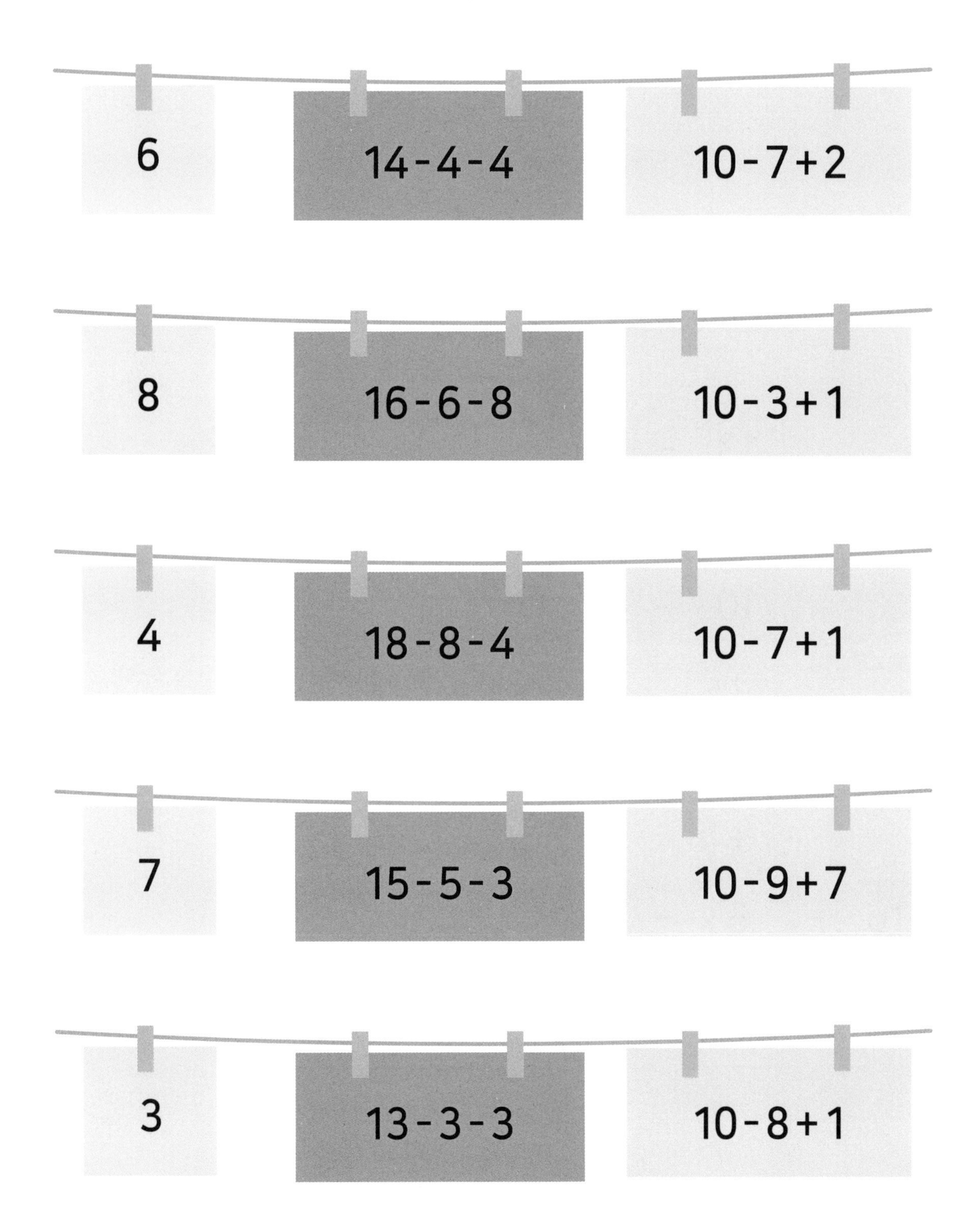

빈 곳에 알맞은 수를 써넣으세요.

<table>
<tr><td></td><td></td><td></td><td></td><td>10</td><td></td><td></td><td></td><td>10</td></tr>
<tr><td></td><td></td><td></td><td></td><td>−</td><td></td><td></td><td></td><td>−</td></tr>
<tr><td></td><td></td><td>15</td><td>−</td><td>5</td><td>−</td><td>4</td><td>=</td><td></td></tr>
<tr><td></td><td></td><td></td><td></td><td>+</td><td></td><td></td><td></td><td>+</td></tr>
<tr><td></td><td></td><td>13</td><td>−</td><td>3</td><td>−</td><td>7</td><td>=</td><td></td></tr>
<tr><td></td><td></td><td></td><td></td><td>=</td><td></td><td></td><td></td><td>=</td></tr>
<tr><td></td><td></td><td>10</td><td>−</td><td>8</td><td>+</td><td>5</td><td>=</td><td></td></tr>
<tr><td></td><td></td><td>−</td><td></td><td>10−5+3=8</td><td></td><td></td><td></td><td></td></tr>
<tr><td>10</td><td>−</td><td>9</td><td>+</td><td>7</td><td>=</td><td></td><td></td><td></td></tr>
<tr><td></td><td></td><td>+</td><td></td><td></td><td></td><td></td><td></td><td></td></tr>
<tr><td>16</td><td>−</td><td>6</td><td>−</td><td>1</td><td>=</td><td></td><td></td><td></td></tr>
<tr><td></td><td></td><td>=</td><td></td><td></td><td></td><td></td><td></td><td></td></tr>
<tr><td></td><td></td><td></td><td></td><td></td><td></td><td></td><td></td><td></td></tr>
</table>

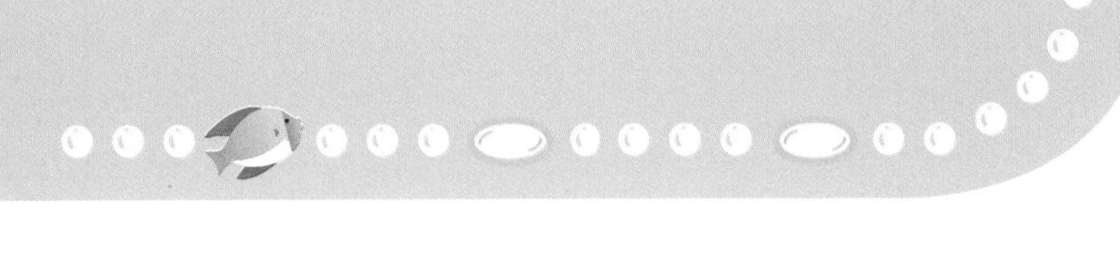

계산 결과를 찾아 해당하는 숫자의 모양을 그려 넣으세요.

4= ◇ 6= ⏢ 7= □ 8= △

14 − 4 − 3 □ 14−4−3=7	10 − 7 + 1
15 − 5 − 4	10 − 9 + 7
12 − 2 − 6	10 − 5 + 3
17 − 7 − 4	10 − 6 + 3
13 − 3 − 3	10 − 8 + 2

세 수의 계산 결과에 해당하는 글자를 아래에서 찾아 써 보세요.

① $10 - 7 + 3 = \square$ ➔ ______

② $10 - 8 + 2 = \square$ ➔ ______

③ $10 - 3 + 1 = \square$ ➔ ______

④ $15 - 5 - 9 = \square$ ➔ ______

⑤ $14 - 4 - 5 = \square$ ➔ ______

⑥ $18 - 8 - 8 = \square$ ➔ ______

1	2	3	4	5	6	7	8	9
수	왕	기	꿈	학	내	성	은	명

문장제

글과 그림을 보고 물음에 알맞은 식을 세우고 답을 구하세요.

과일 가게에 멜론 16개와 수박 10개가 진열되어 있습니다.

① 멜론은 오전에 6개, 오후에 7개가 팔렸습니다. 남아 있는 멜론은 몇 개일까요?

식 : ____________________ 답 : ______ 개

② 수박은 오후까지 6개가 팔려 3개를 더 가져다 놓았습니다. 남아 있는 수박은 몇 개일까요?

식 : ____________________ 답 : ______ 개

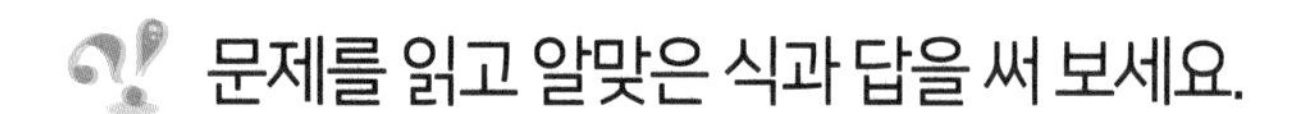

문제를 읽고 알맞은 식과 답을 써 보세요.

① 명진이네 집에서 기르던 개가 새끼를 11마리 낳았습니다. 강아지를 삼촌댁에 1마리, 이모네 댁에 3마리 드렸다면 명진이네 집에 남아 있는 강아지는 몇 마리일까요?

식 : ______________________ 답 : ______ 마리

② 공원에 10마리의 비둘기가 있다가 5마리가 어디론가 날아가 버리고 새로운 비둘기 3마리가 날아와 앉았습니다. 공원에 있는 비둘기는 몇 마리일까요?

식 : ______________________ 답 : ______ 마리

문제를 읽고 알맞은 식과 답을 써 보세요.

① 색종이 15장이 있는데 5장으로는 종이학을 접었고 4장으로는 종이상자를 접었습니다. 남은 색종이는 몇 장일까요?

식 : ____________________ 답 : ______ 장

② 민섭이는 초콜릿 12개가 있었는데 친구 2명에게 똑같이 초콜릿 2개씩을 주었습니다. 민섭이에게 남은 초콜릿은 몇 개일까요?

식 : ____________________ 답 : ______ 개

③ 현주는 아파트 14층에 사는데 현주네 층에서 4층 밑에 민영이가 살고 민영이네 층에서 3층 밑에 한철이가 살고 있습니다. 한철이는 아파트 몇 층에 살고 있을까요?

식 : ____________________ 답 : ______ 층

문제를 읽고 알맞은 식과 답을 써 보세요.

① 민수는 붕어빵 10개를 사서 집으로 오는 길에 친구를 만나 6개를 주었습니다. 집으로 와서 보니 아버지께서 붕어빵 5개를 더 사오셨을 때, 집에 있는 붕어빵은 모두 몇 개일까요?

식 : ______________________ 답 : ______ 개

② 교실에 10명이 있었는데 4명이 화장실을 갔다가 2명만 교실로 돌아왔습니다. 교실에 있는 학생은 모두 몇 명일까요?

식 : ______________________ 답 : ______ 명

③ 공원의 자전거 대여소에 자전거 10대가 있었는데 8명이 자전거를 빌려갔고 잠시 후 3명이 자전거를 반납했습니다. 자전거 대여소에 있는 자전거는 몇 대일까요?

식 : ______________________ 답 : ______ 대

수를 갈라서 빼기

두 수의 뺄셈을 공부합니다. 수를 갈라서 10을 만들어 빼는 방법과 10에서 먼저 빼고 더하는 방법이 있습니다. 두 수의 뺄셈은 덧셈과 마찬가지로 모든 연산의 기초가 되므로 그림을 보면서 확실하게 원리를 이해합니다.

뒤의 수를 가르기

□에 알맞은 수를 써넣으세요.

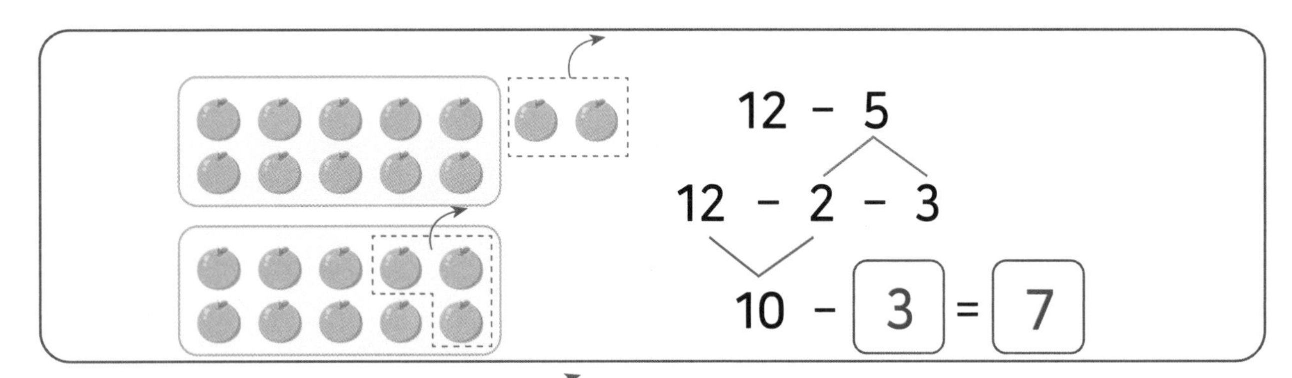

①

13 - 6

13 - 3 - 3

10 - □ = □

②

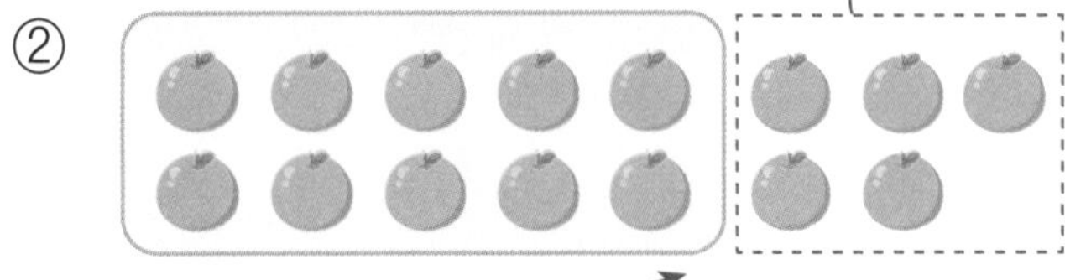

15 - 7

15 - 5 - 2

10 - □ = □

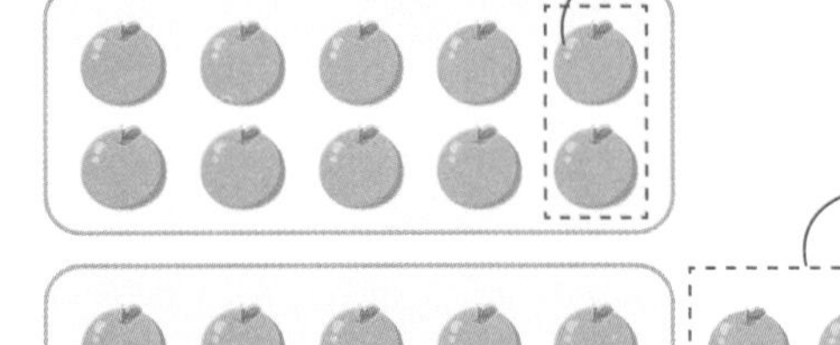

③

14 - 9

14 - 4 - 5

10 - □ = □

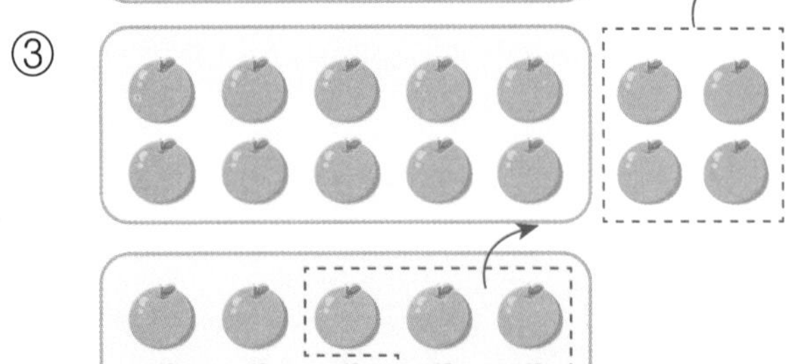

Tip 뒤의 수를 갈라서 앞의 수를 10으로 만든 다음 10에서 가르고 남은 수를 빼어서 계산합니다.

□에 알맞은 수를 써넣으세요.

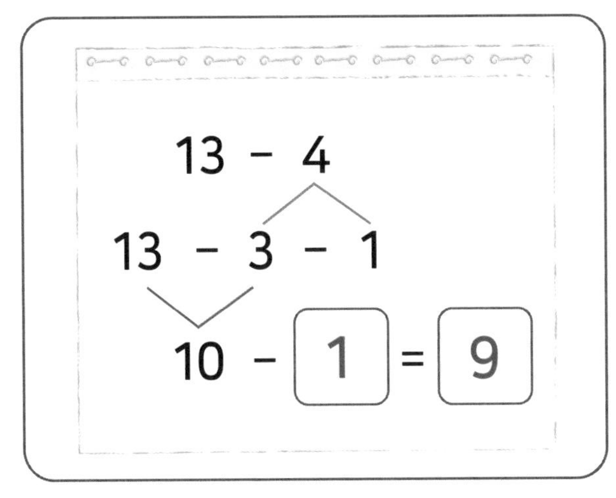

①

16 - 8

16 - 6 - 2

10 - □ = □

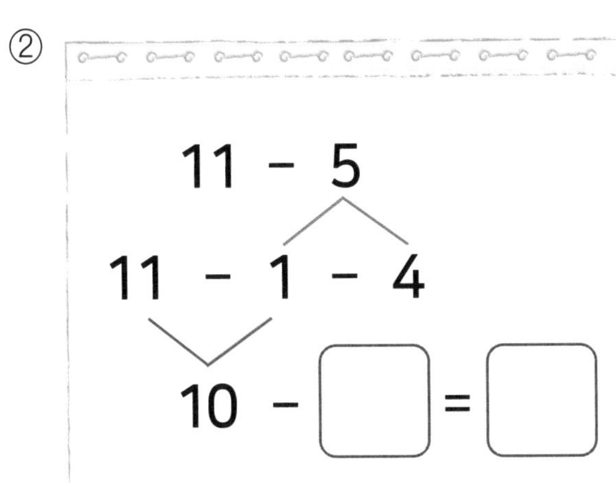

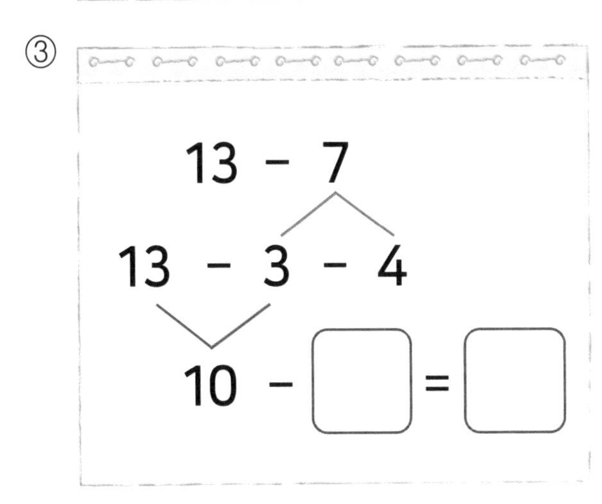

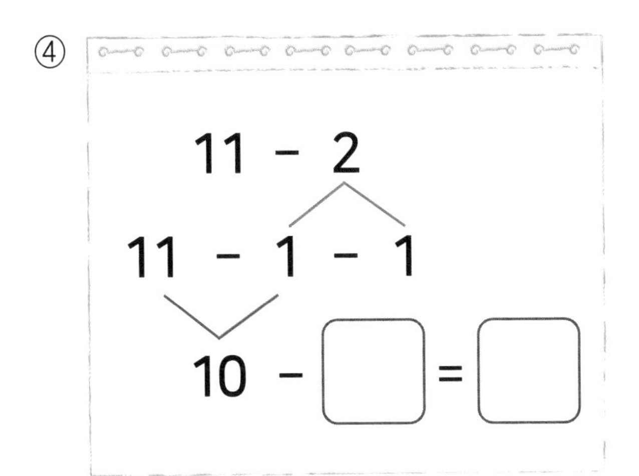

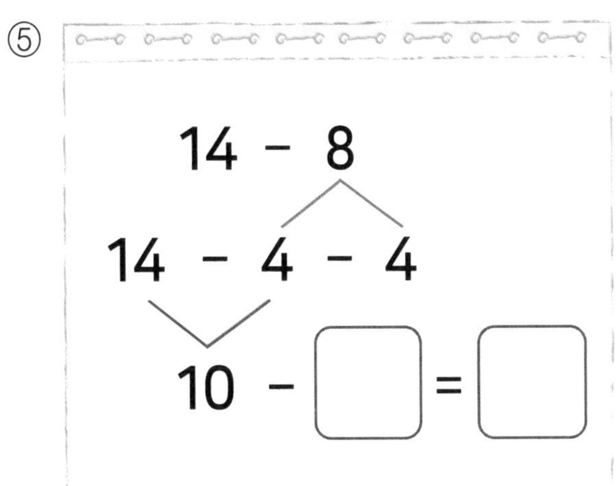

□에 알맞은 수를 써넣으세요.

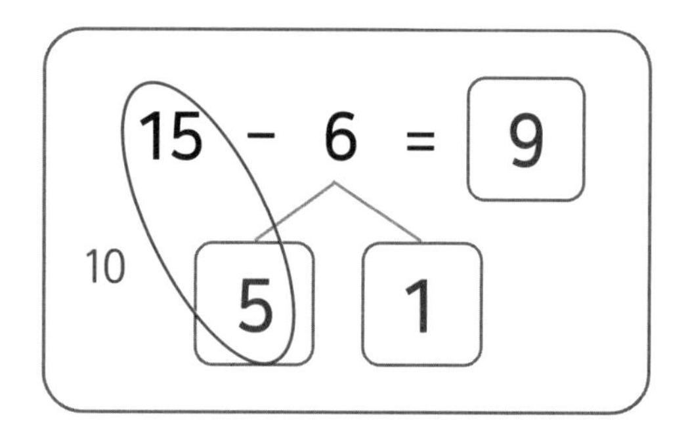

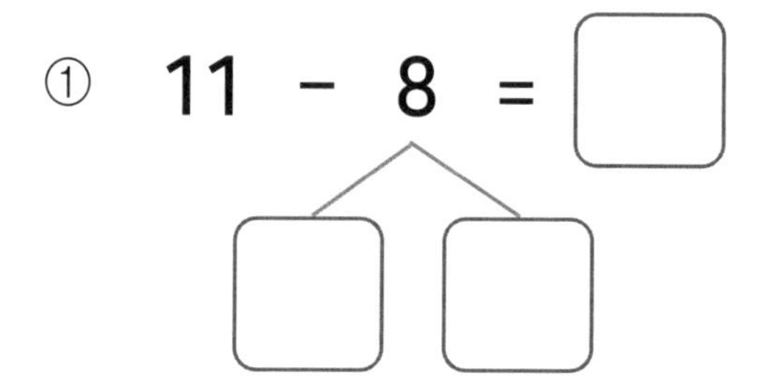

② 14 - 7 = □

③ 12 - 9 = □

④ 16 - 7 = □

⑤ 18 - 9 = □

⑥ 13 - 5 = □

⑦ 12 - 7 = □

10 만들어 빼기

공부한 날~! 월 일

뒤의 수를 갈라 10을 만들어 계산해 보세요.

$13 - 4 = \boxed{9}$

4 → 3, 1

10－1=9

① $11 - 4 = \square$

② $15 - 7 = \square$

③ $17 - 8 = \square$

④ $12 - 3 = \square$

⑤ $11 - 5 = \square$

⑥ $13 - 7 = \square$

⑦ $14 - 6 = \square$

⑧ $13 - 6 = \square$

⑨ $11 - 3 = \square$

⑩ $18 - 9 = \square$

⑪ $15 - 6 = \square$

뒤의 수를 갈라 10을 만들어 계산해 보세요.

① $14 - 6 = \square$

② $12 - 4 = \square$

③ $15 - 8 = \square$

④ $13 - 4 = \square$

⑤ $16 - 9 = \square$

⑥ $11 - 3 = \square$

⑦ $13 - 5 = \square$

⑧ $17 - 8 = \square$

⑨ $12 - 5 = \square$

⑩ $15 - 6 = \square$

⑪ $14 - 5 = \square$

⑫ $16 - 8 = \square$

두 수의 차를 구하여 빈 곳에 써넣으세요.

①

−

14	5	
16	8	
17	9	
12	5	

②

−

11	5	
14	8	
16	7	
18	9	

③

−

12	4	
13	4	
14	7	
15	8	

④

−

11	3	
12	9	
15	6	
16	9	

앞의 수를 가르기

□에 알맞은 수를 써넣으세요.

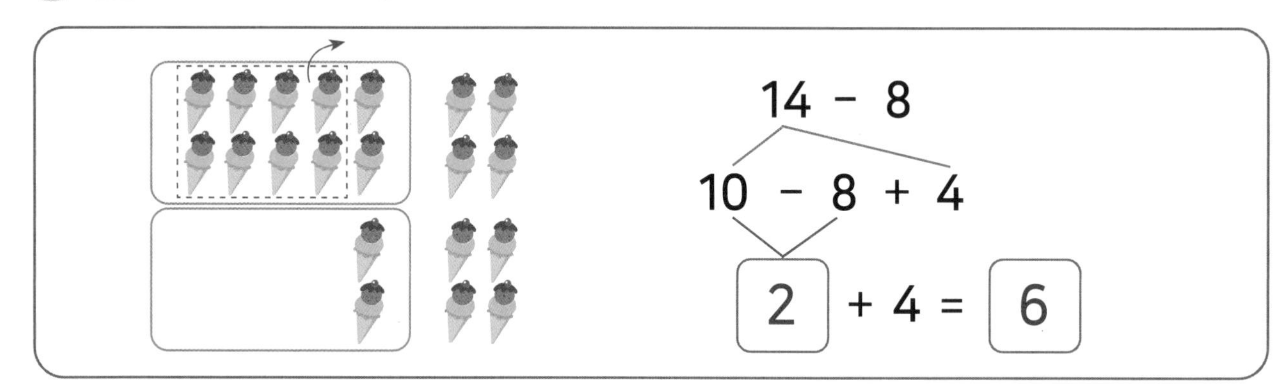

①

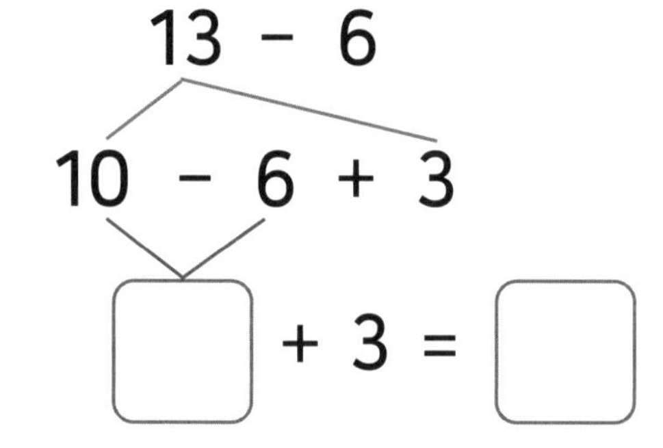

②

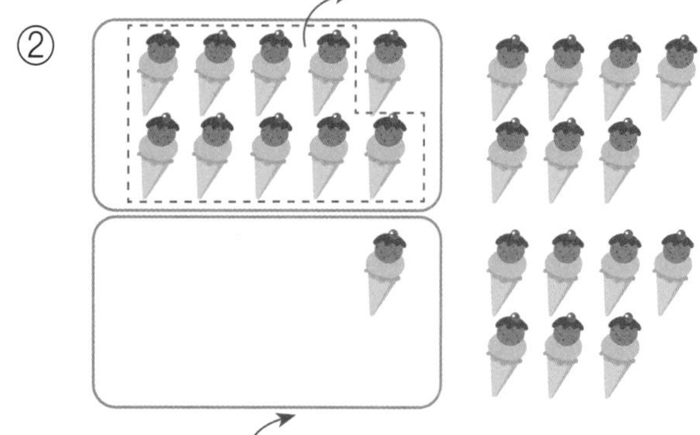

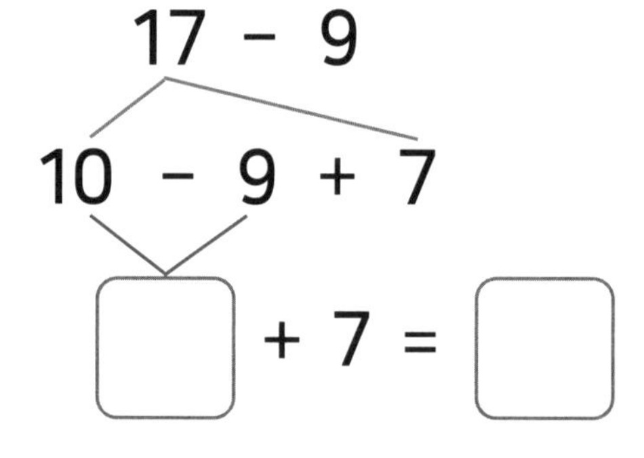

③

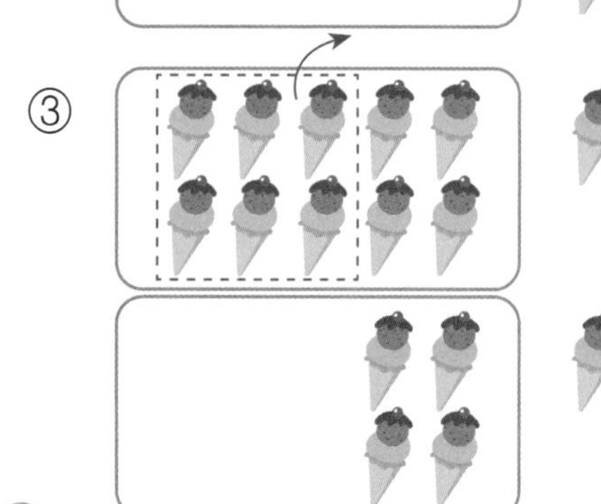

11 - 6

10 - 6 + 1

□ + 1 = □

Tip 앞의 수를 10 더하기 몇으로 가른 다음 10에서 수를 빼고 가른 수를 더하여 계산합니다.

□에 알맞은 수를 써넣으세요.

(보기)

$15 - 7$

$10 - 7 + 5$

$\boxed{3} + 5 = \boxed{8}$

① $11 - 5$

$10 - 5 + 1$

$\square + 1 = \square$

② $12 - 6$

$10 - 6 + 2$

$\square + 2 = \square$

③ $13 - 4$

$10 - 4 + 3$

$\square + 3 = \square$

④ $14 - 7$

$10 - 7 + 4$

$\square + 4 = \square$

⑤ $11 - 4$

$10 - 4 + 1$

$\square + 1 = \square$

□에 알맞은 수를 써넣으세요.

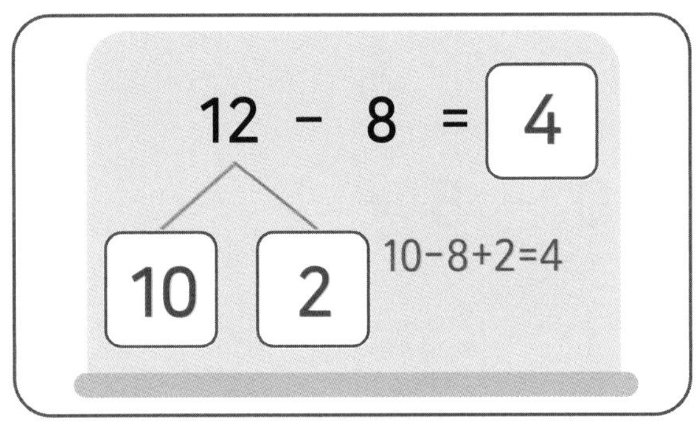

①
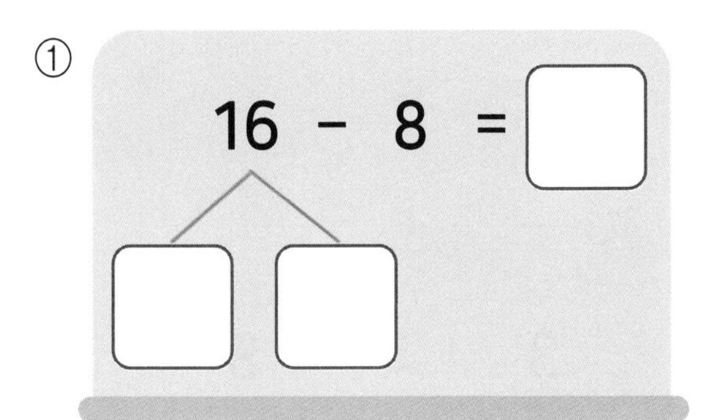

②
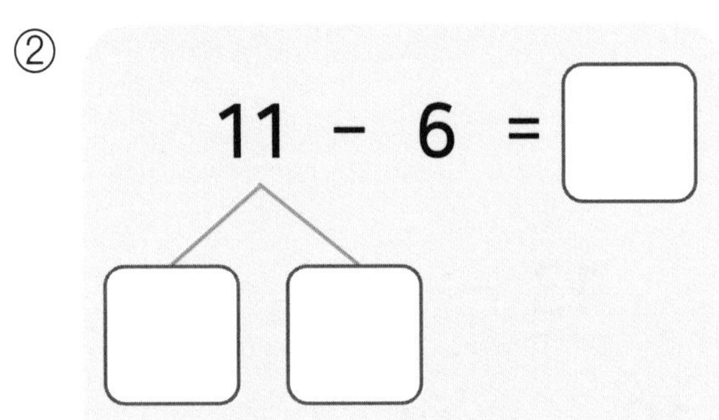

③
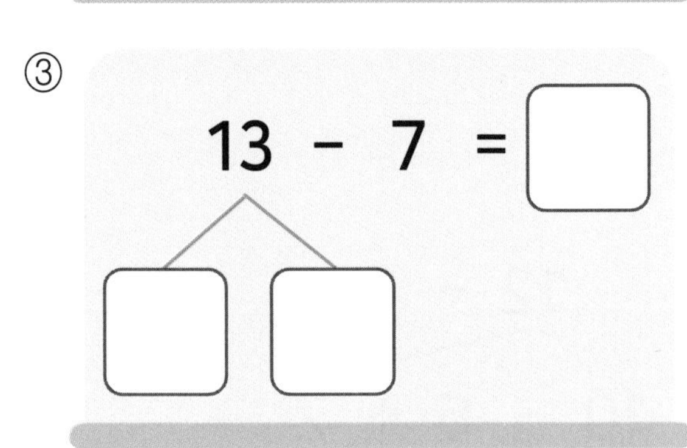

④
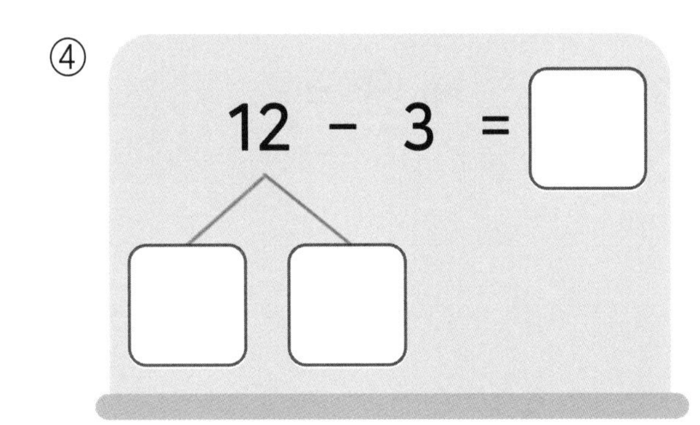

⑤
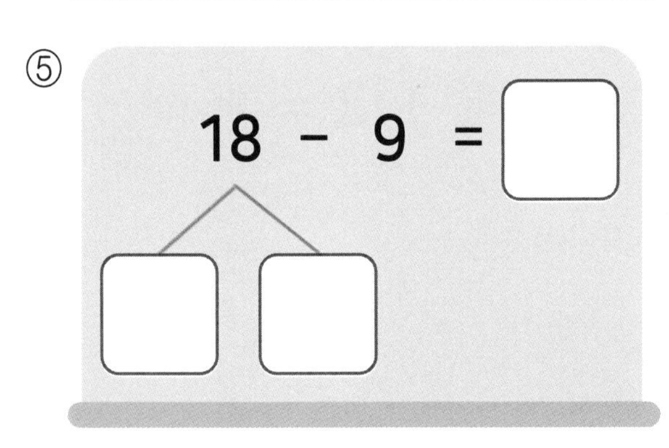

⑥
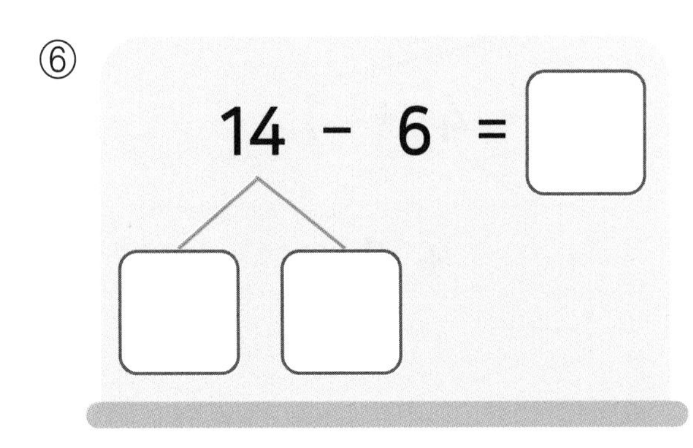

⑦
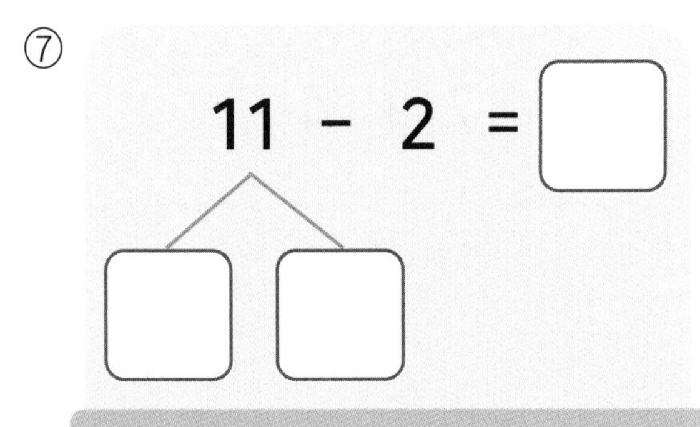

10에서 빼기

공부한 날~! 월 일

앞의 수를 갈라 10에서 빼도록 하여 계산해 보세요.

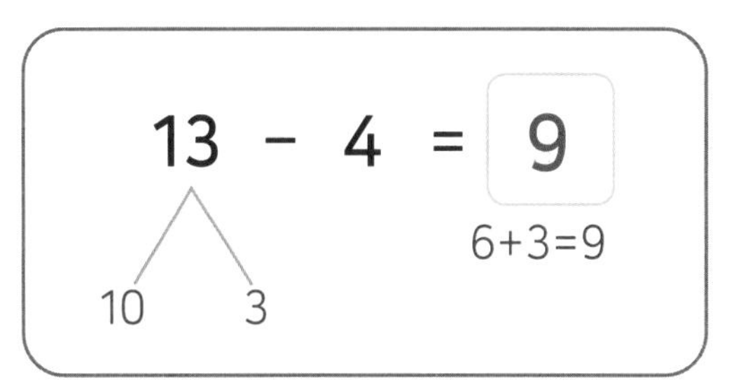

① 11 - 7 = ☐

② 12 - 5 = ☐

③ 14 - 8 = ☐

④ 16 - 9 = ☐

⑤ 11 - 3 = ☐

⑥ 15 - 8 = ☐

⑦ 13 - 5 = ☐

⑧ 12 - 4 = ☐

⑨ 14 - 7 = ☐

⑩ 13 - 9 = ☐

⑪ 12 - 6 = ☐

앞의 수를 갈라 10에서 빼도록 하여 계산해 보세요.

① 12 − 7 = ☐

② 11 − 5 = ☐

③ 11 − 8 = ☐

④ 13 − 7 = ☐

⑤ 12 − 9 = ☐

⑥ 14 − 8 = ☐

⑦ 13 − 8 = ☐

⑧ 15 − 9 = ☐

⑨ 11 − 7 = ☐

⑩ 12 − 6 = ☐

⑪ 14 − 9 = ☐

⑫ 16 − 9 = ☐

상자에 있는 두 수의 차를 빈 곳에 써넣으세요.

①

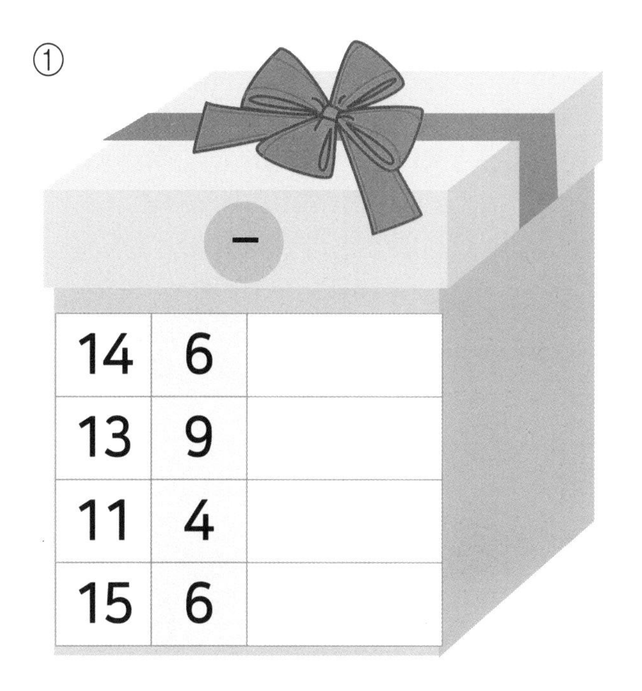

14	6	
13	9	
11	4	
15	6	

②

13	4	
14	8	
15	8	
16	9	

③

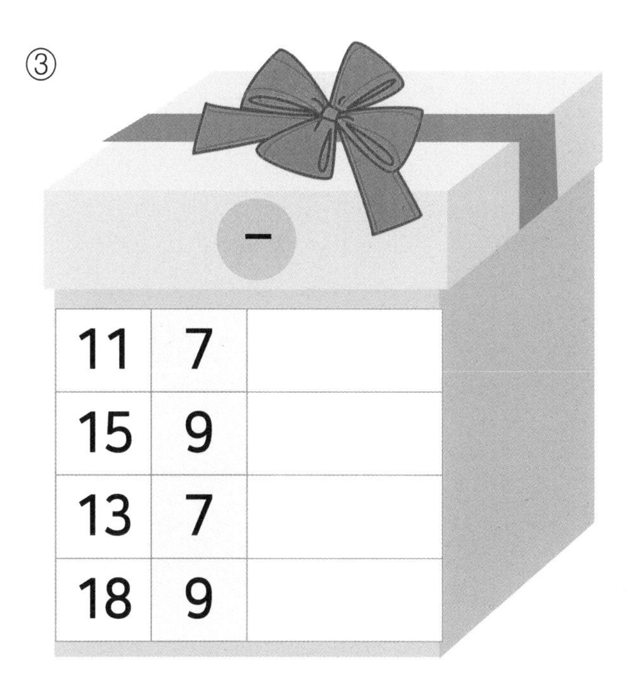

11	7	
15	9	
13	7	
18	9	

④

−

14	5	
17	8	
11	2	
12	5	

연산 퍼즐

계산 결과가 같은 것끼리 선으로 이으세요.

17 - 9 •	• 13 - 9
14 - 8 •	• 12 - 5
11 - 7 •	• 11 - 6
11 - 8 •	• 15 - 9
14 - 7 •	• 12 - 9
12 - 7 •	• 11 - 3

규칙에 맞게 빈 곳에 알맞은 수를 써넣으세요.

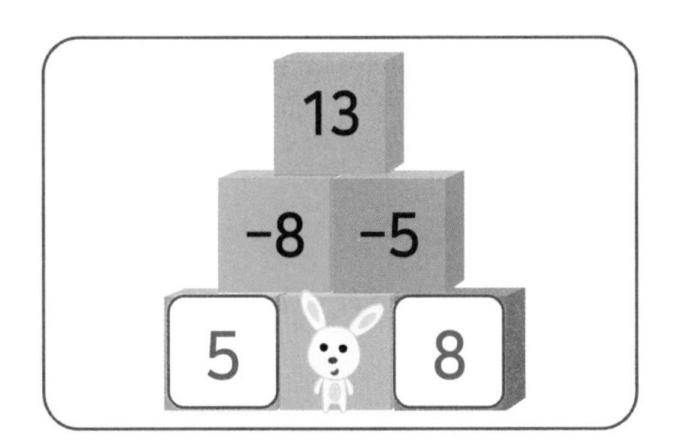

①

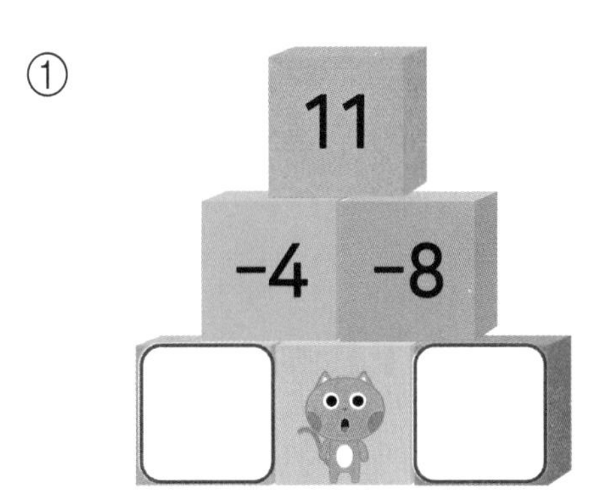

②

③

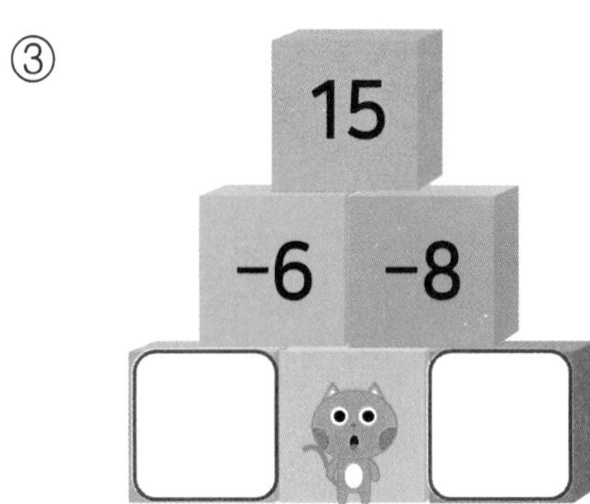

④

⑤

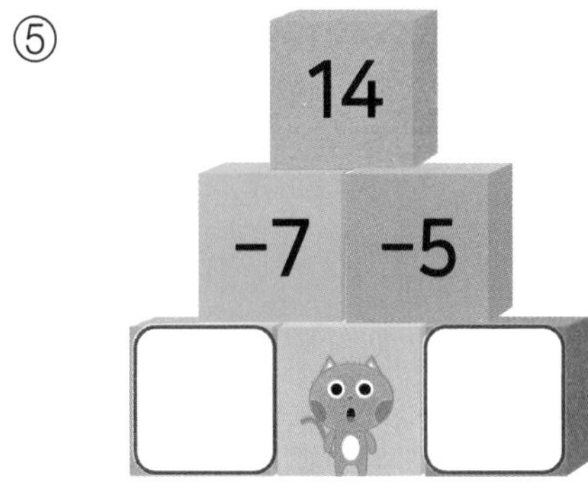

⑥

⑦

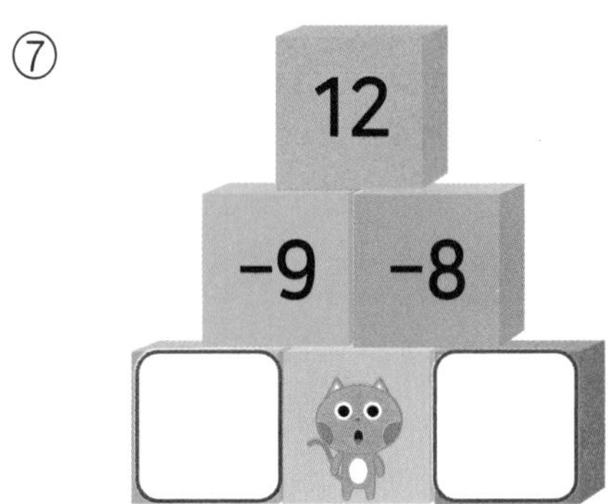

계산 결과가 같은 것끼리 선으로 이으세요.

도전! 계산왕

10 만들어 빼기

공부한 날 월 일
점 수 /7

□에 알맞은 수를 써넣으세요.

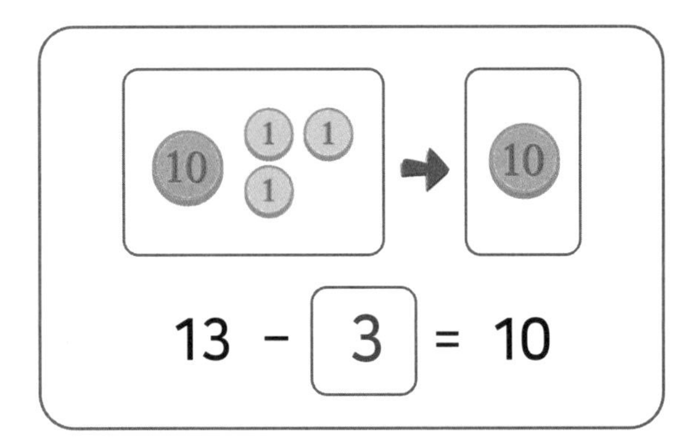

13 - 3 = 10

① 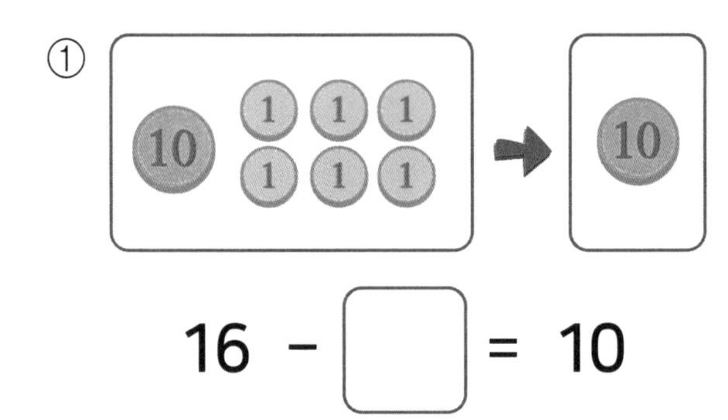

16 - □ = 10

② 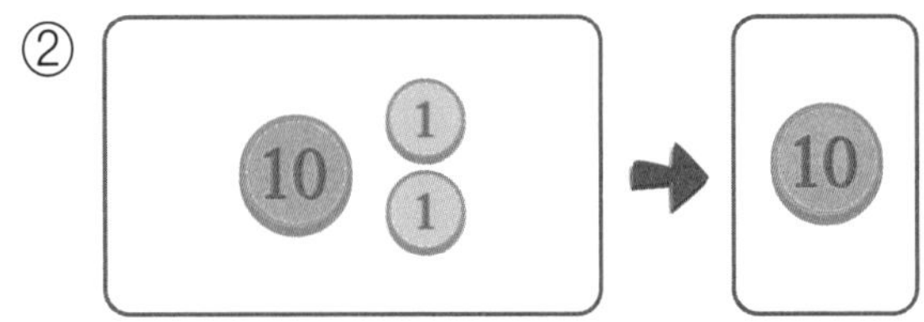

12 - □ = 10

③

14 - □ = 10

④ 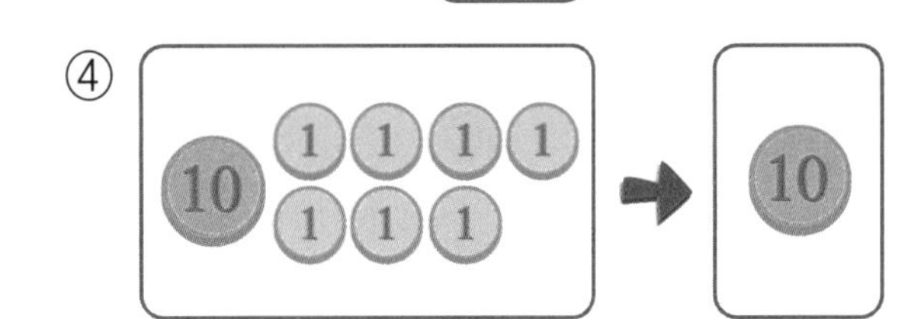

17 - □ = 10

⑤ 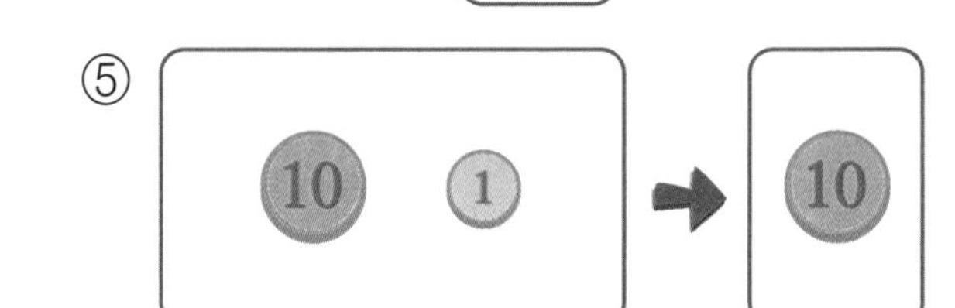

11 - □ = 10

⑥ 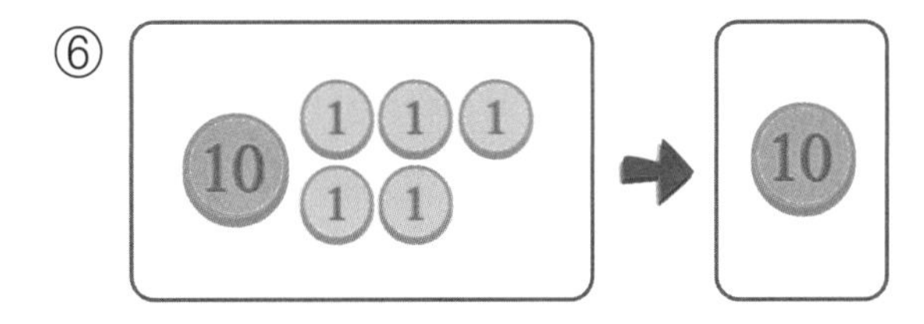

15 - □ = 10

⑦

18 - □ = 10

10 만들어 빼기

공부한 날	월 일
점 수	/ 12

□에 알맞은 수를 써넣으세요.

① $14 - 8 = \square$

② $12 - 5 = \square$

③ $16 - 9 = \square$

④ $11 - 4 = \square$

⑤ $15 - 6 = \square$

⑥ $13 - 7 = \square$

⑦ $17 - 8 = \square$

⑧ $18 - 9 = \square$

⑨ $12 - 7 = \square$

⑩ $14 - 6 = \square$

⑪ $11 - 8 = \square$

⑫ $16 - 7 = \square$

10 만들어 빼기

공부한 날	월 일
점 수	/ 5

□에 알맞은 수를 써넣으세요.

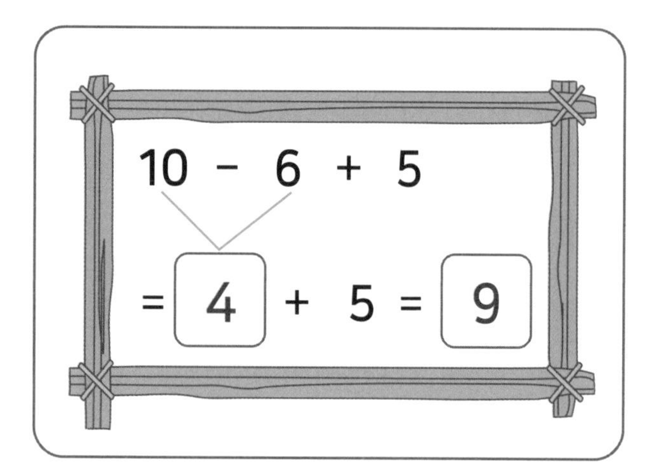

① 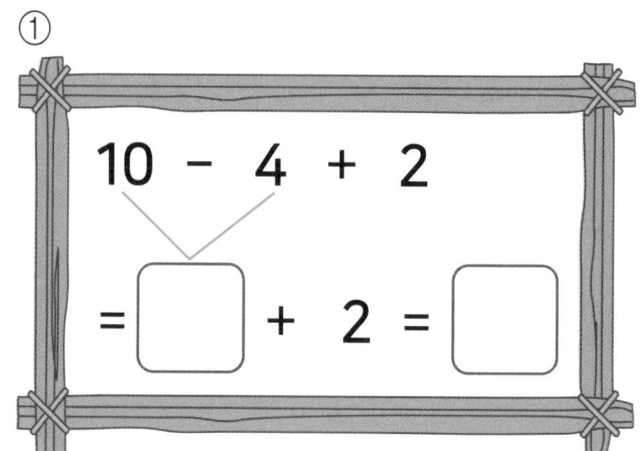

② 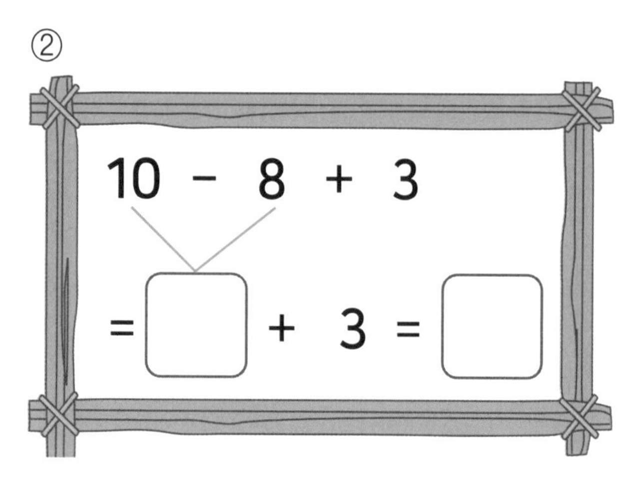

③ 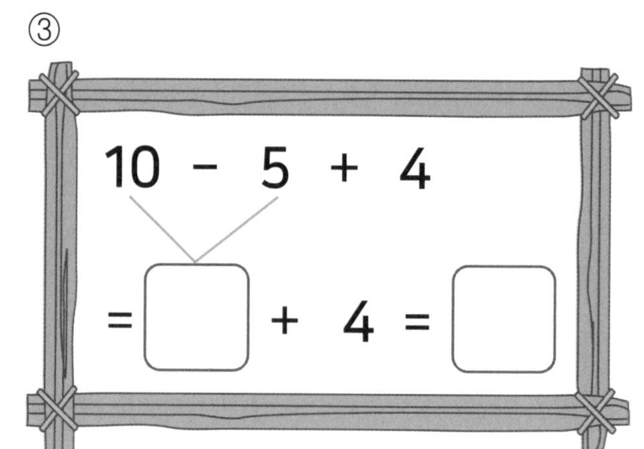

④ 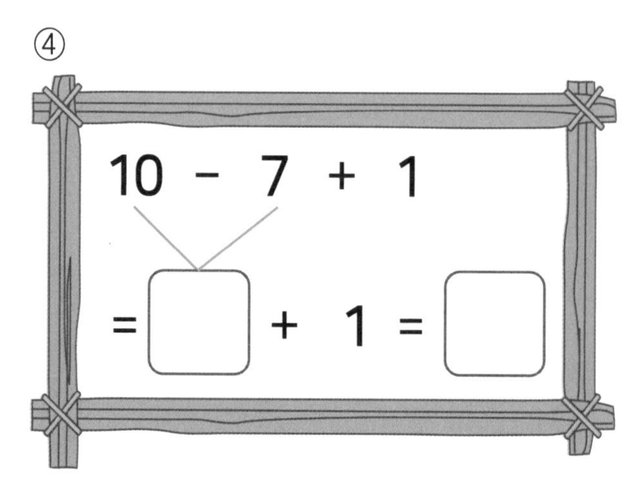

⑤ 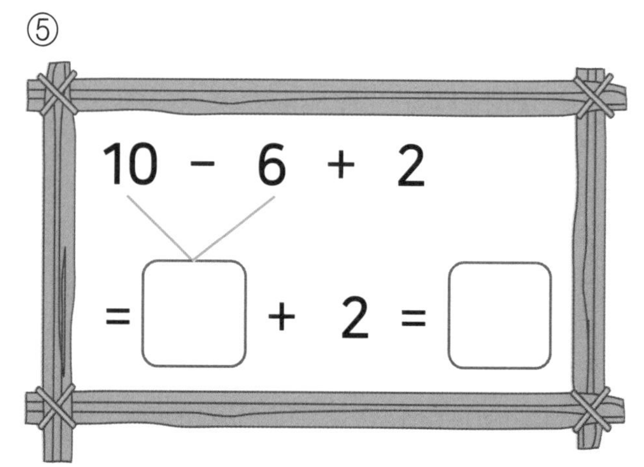

10 만들어 빼기

공부한 날	월 일
점수	/ 12

□에 알맞은 수를 써넣으세요.

① $12 - 8 = \square$

② $15 - 6 = \square$

③ $18 - 9 = \square$

④ $13 - 5 = \square$

⑤ $16 - 8 = \square$

⑥ $11 - 4 = \square$

⑦ $14 - 5 = \square$

⑧ $17 - 9 = \square$

⑨ $15 - 7 = \square$

⑩ $12 - 3 = \square$

⑪ $11 - 6 = \square$

⑫ $16 - 7 = \square$

10 만들어 빼기

공부한 날 월 일
점수 /5

□에 알맞은 수를 써넣으세요.

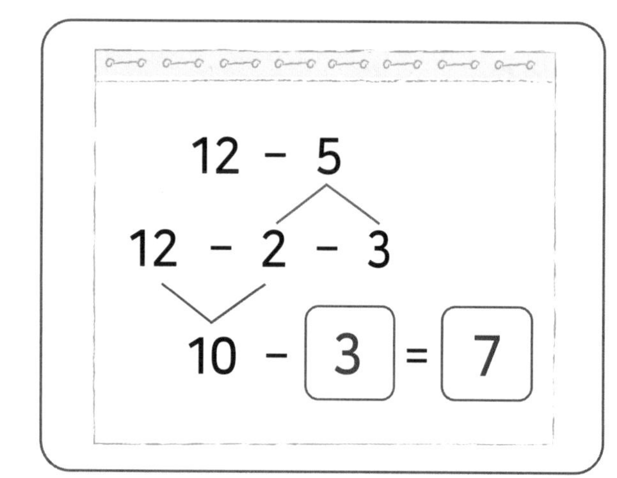

①
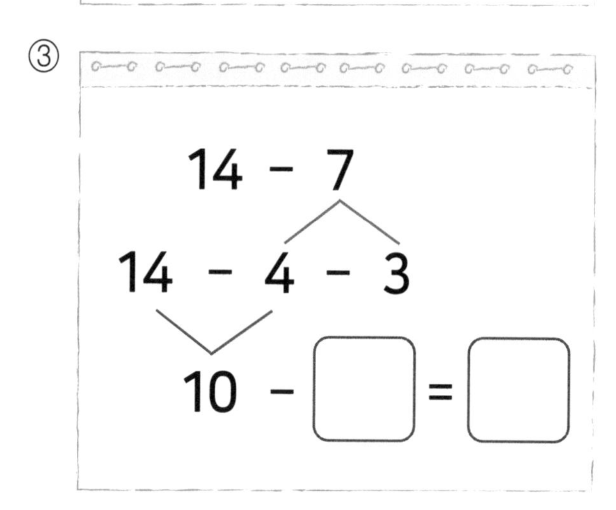

②
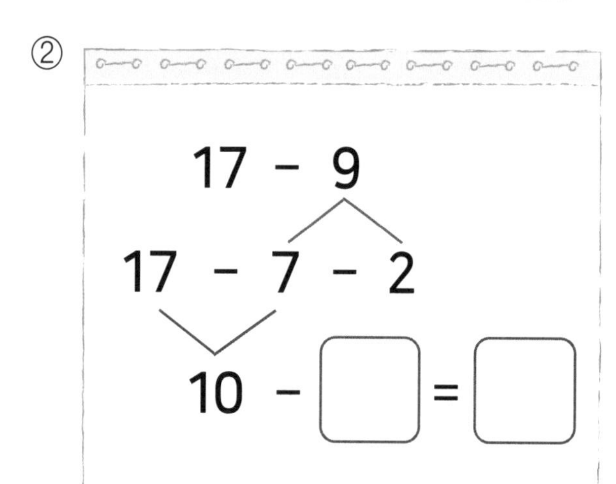

③

④
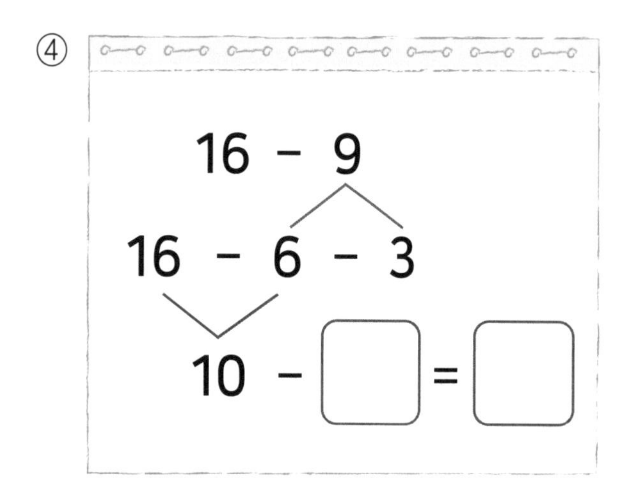

⑤
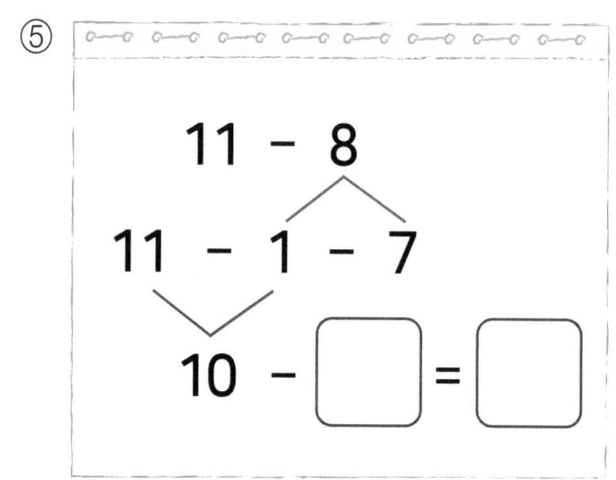

10 만들어 빼기

공부한 날	월 일
점 수	/ 12

□에 알맞은 수를 써넣으세요.

① 13 − 6 = □　　② 18 − 9 = □

③ 16 − 7 = □　　④ 11 − 2 = □

⑤ 14 − 6 = □　　⑥ 17 − 8 = □

⑦ 15 − 9 = □　　⑧ 12 − 4 = □

⑨ 13 − 5 = □　　⑩ 16 − 8 = □

⑪ 11 − 7 = □　　⑫ 14 − 8 = □

10 만들어 빼기

공부한 날 월 일
점수 /5

□에 알맞은 수를 써넣으세요.

13 − 7
10 − 7 + 3
[3] + 3 = [6]

① 12 − 5
10 − 5 + 2
□ + 2 = □

② 14 − 8
10 − 8 + 4
□ + 4 = □

③ 11 − 6
10 − 6 + 1
□ + 1 = □

④ 15 − 7
10 − 7 + 5
□ + 5 = □

⑤ 12 − 9
10 − 9 + 2
□ + 2 = □

10 만들어 빼기

공부한 날	월 일
점 수	/ 12

□에 알맞은 수를 써넣으세요.

① $11 - 2 = \square$

② $14 - 6 = \square$

③ $13 - 7 = \square$

④ $16 - 8 = \square$

⑤ $12 - 6 = \square$

⑥ $15 - 7 = \square$

⑦ $18 - 9 = \square$

⑧ $17 - 9 = \square$

⑨ $11 - 6 = \square$

⑩ $12 - 8 = \square$

⑪ $13 - 5 = \square$

⑫ $14 - 7 = \square$

10 만들어 빼기

공부한 날	월 일
점수	/7

□에 알맞은 수를 써넣으세요.

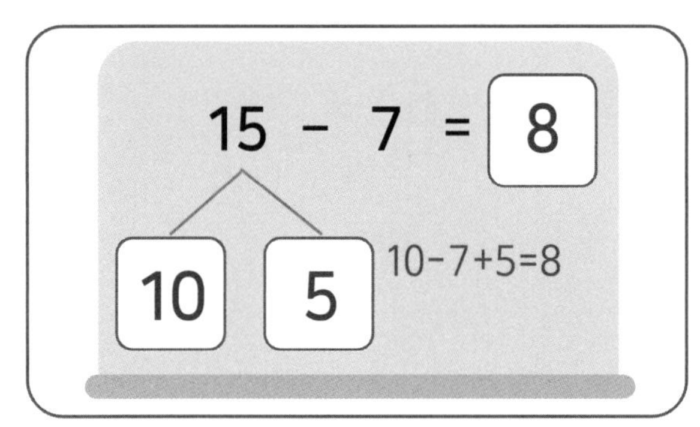

①
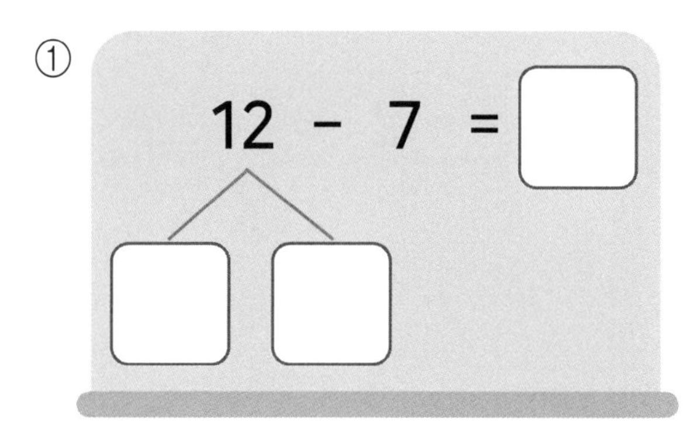

②
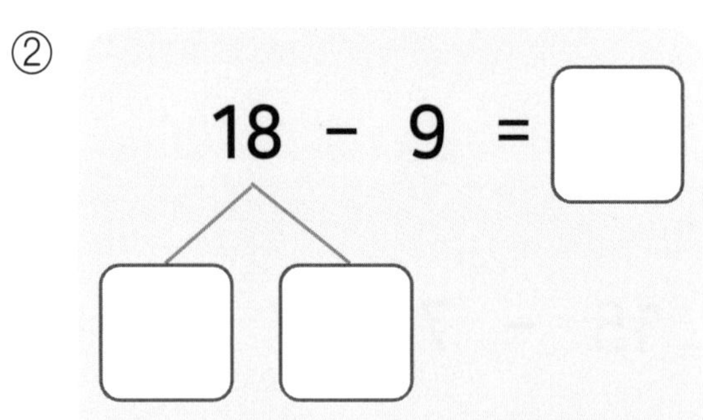

③
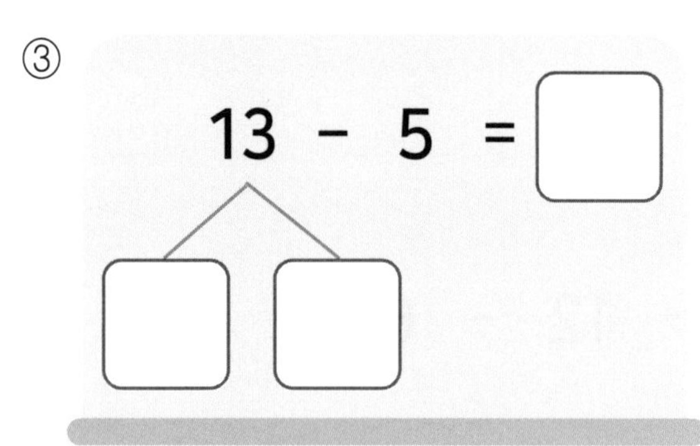

④
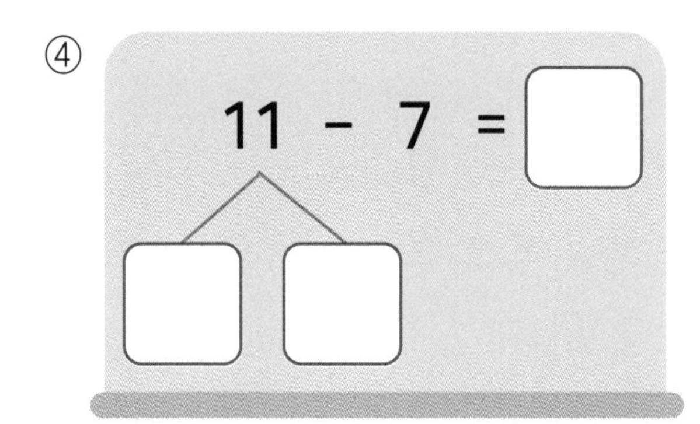

⑤
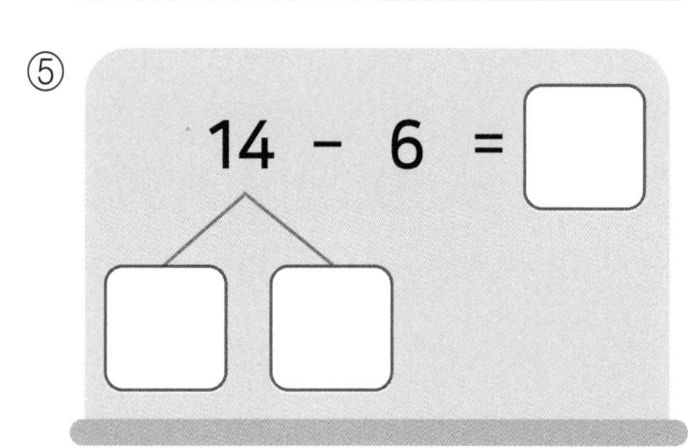

⑥

12 - 8 = □

□ □

⑦
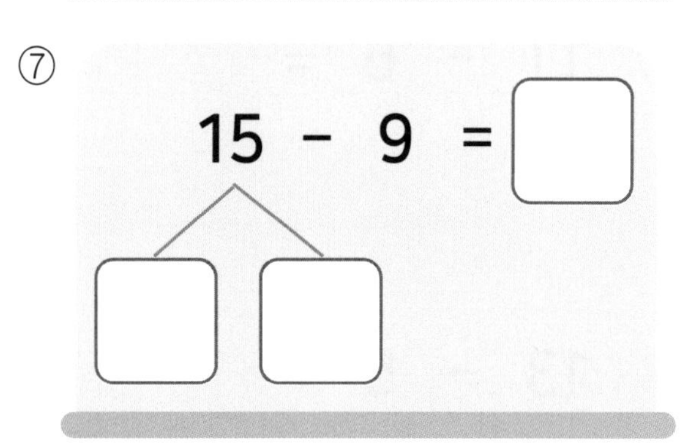

10 만들어 빼기

□에 알맞은 수를 써넣으세요.

① 13 − 7 = □

② 12 − 5 = □

③ 17 − 8 = □

④ 15 − 7 = □

⑤ 11 − 8 = □

⑥ 14 − 9 = □

⑦ 18 − 9 = □

⑧ 16 − 7 = □

⑨ 12 − 6 = □

⑩ 11 − 4 = □

⑪ 13 − 6 = □

⑫ 17 − 9 = □

MEMO

두 수의 뺄셈

받아내림이 있는 두 수의 뺄셈을 여러 가지 형태로 다양하게 풀어 보면서 두 수의 뺄셈을 마무리할 수 있도록 구성하였습니다.

두 수의 뺄셈

가로와 세로에 쓰여 있는 수의 차를 빈 곳에 써넣으세요.

①

−	12	13	14
5	7		

12 - 5 = 7

②

−	11	12	13
7			

③

−	14	15	16
7			

④

−	13	14	15
8			

⑤

−	6	7	8
12	6		

12 - 6 = 6

⑥

−	5	6	7
13			

⑦

−	5	6	7
14			

⑧

−	7	8	9
15			

Tip

연속된 수를 차례대로 빼 보면서 계산 결과가 어떻게 변하는지 관찰해 보세요.

□에 알맞은 수를 써넣으세요.

① $11 - 7 = \square$

② $13 - 9 = \square$

③ $18 - 9 = \square$

④ $12 - 3 = \square$

⑤ $15 - 9 = \square$

⑥ $17 - 8 = \square$

⑦ $13 - 5 = \square$

⑧ $16 - 8 = \square$

⑨ $11 - 4 = \square$

⑩ $13 - 7 = \square$

⑪ $16 - 9 = \square$

⑫ $12 - 7 = \square$

⑬ $15 - 6 = \square$

⑭ $11 - 2 = \square$

차가 ◇안의 수가 되는 두 수를 모두 찾아 선을 이어 보세요.

4

13 •	• 12
7 •	• 11
8 •	• 9

5

14 •	• 7
6 •	• 9
12 •	• 11

7

13 •	• 8
7 •	• 6
15 •	• 14

6

15 •	• 11
7 •	• 9
5 •	• 13

수직선과 수 막대

□에 알맞은 수를 써넣으세요.

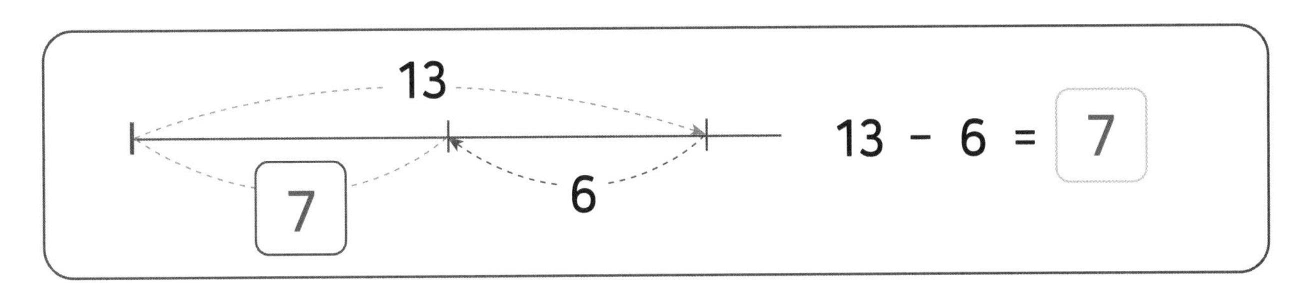

① 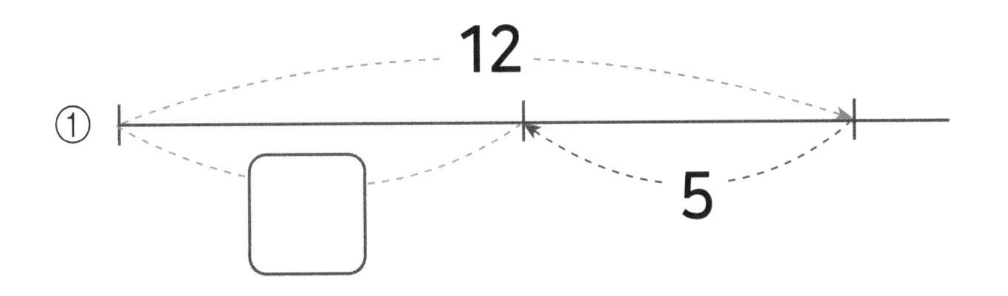

12 - 5 = □

② 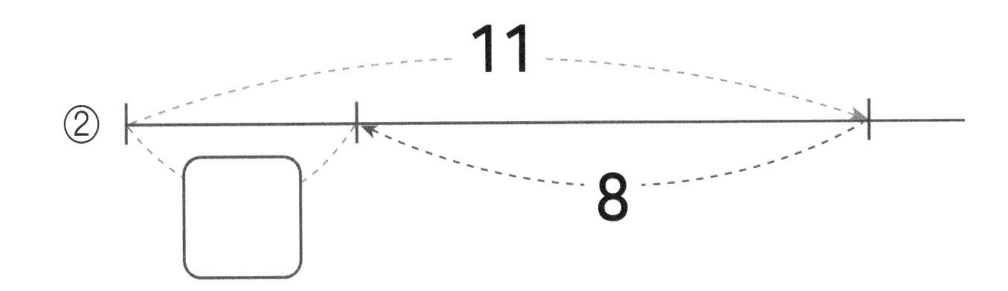

11 - 8 = □

③ 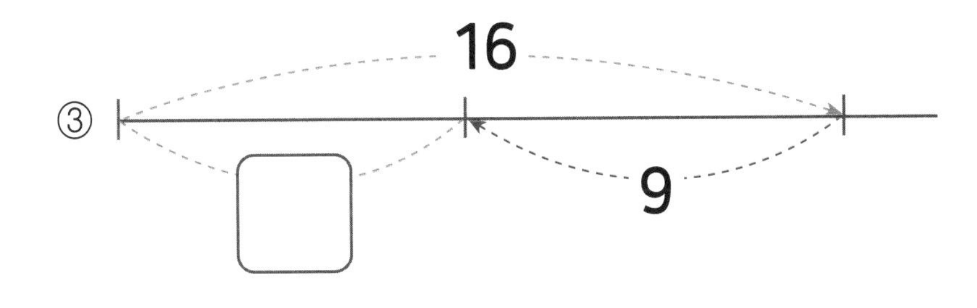

16 - 9 = □

④ 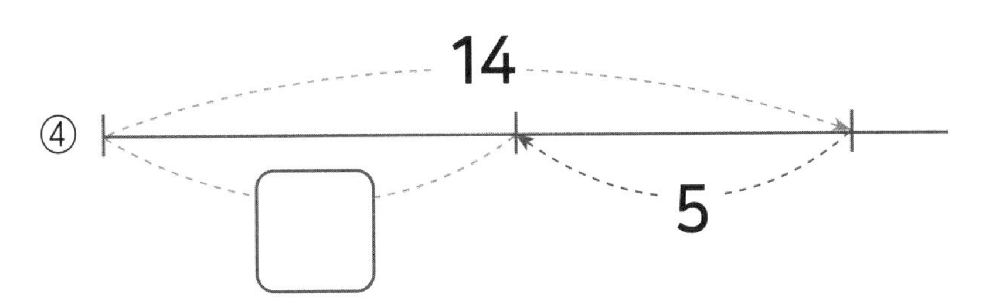

14 - 5 = □

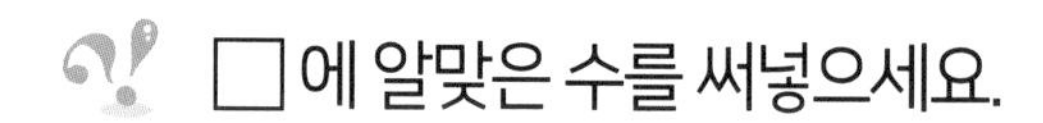

□에 알맞은 수를 써넣으세요.

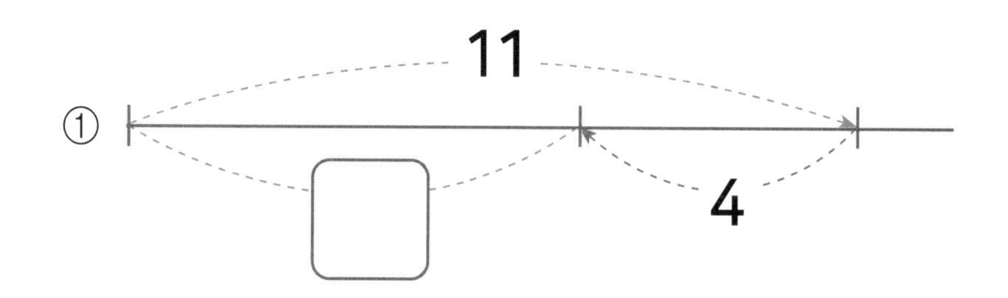

$11 - 4 = \square$

② 12, 6, □

$12 - 6 = \square$

③ 15, 7, □

$15 - 7 = \square$

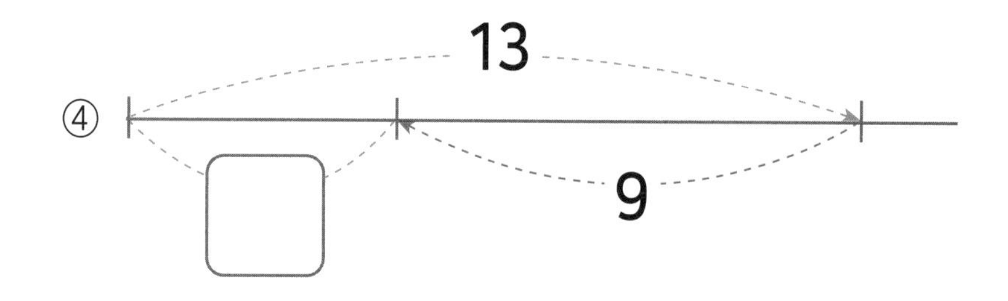

$13 - 9 = \square$

⑤ 14, 7, □

$14 - 7 = \square$

□에 알맞은 수를 써넣으세요.

① 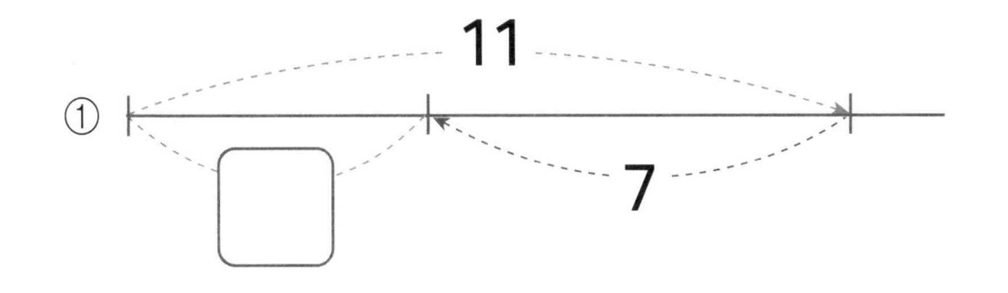

11 - 7 = □

② 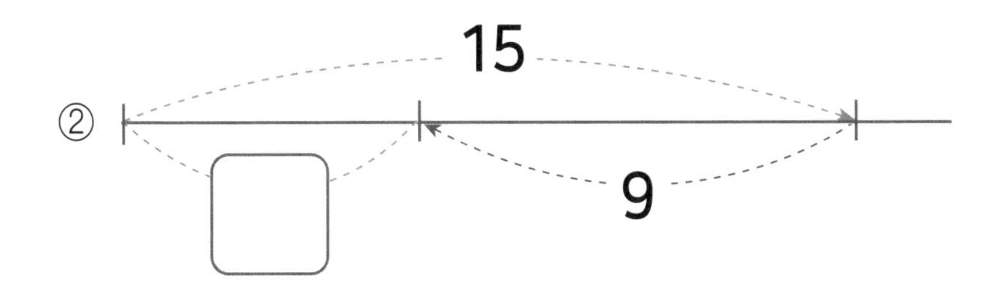

15 - 9 = □

③ 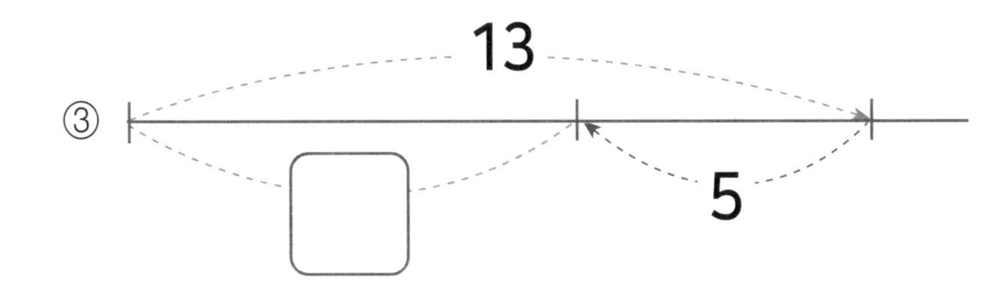

13 - 5 = □

④ 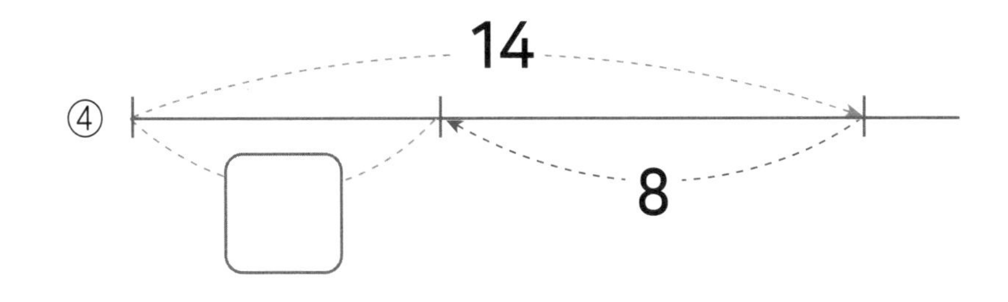

14 - 8 = □

⑤ 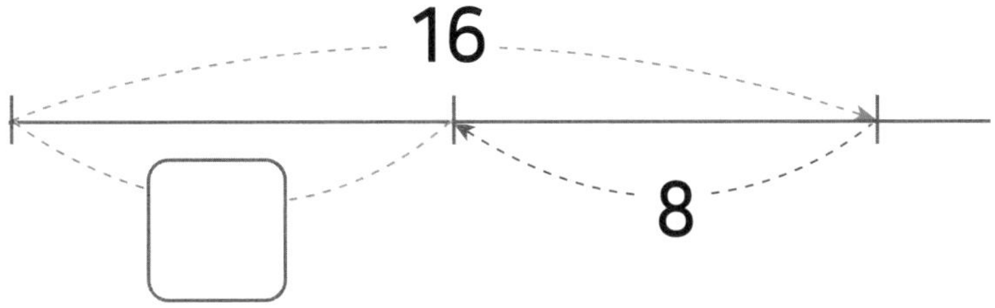 16

8

16 - 8 = □

빈 곳에 알맞은 수를 써넣으세요.

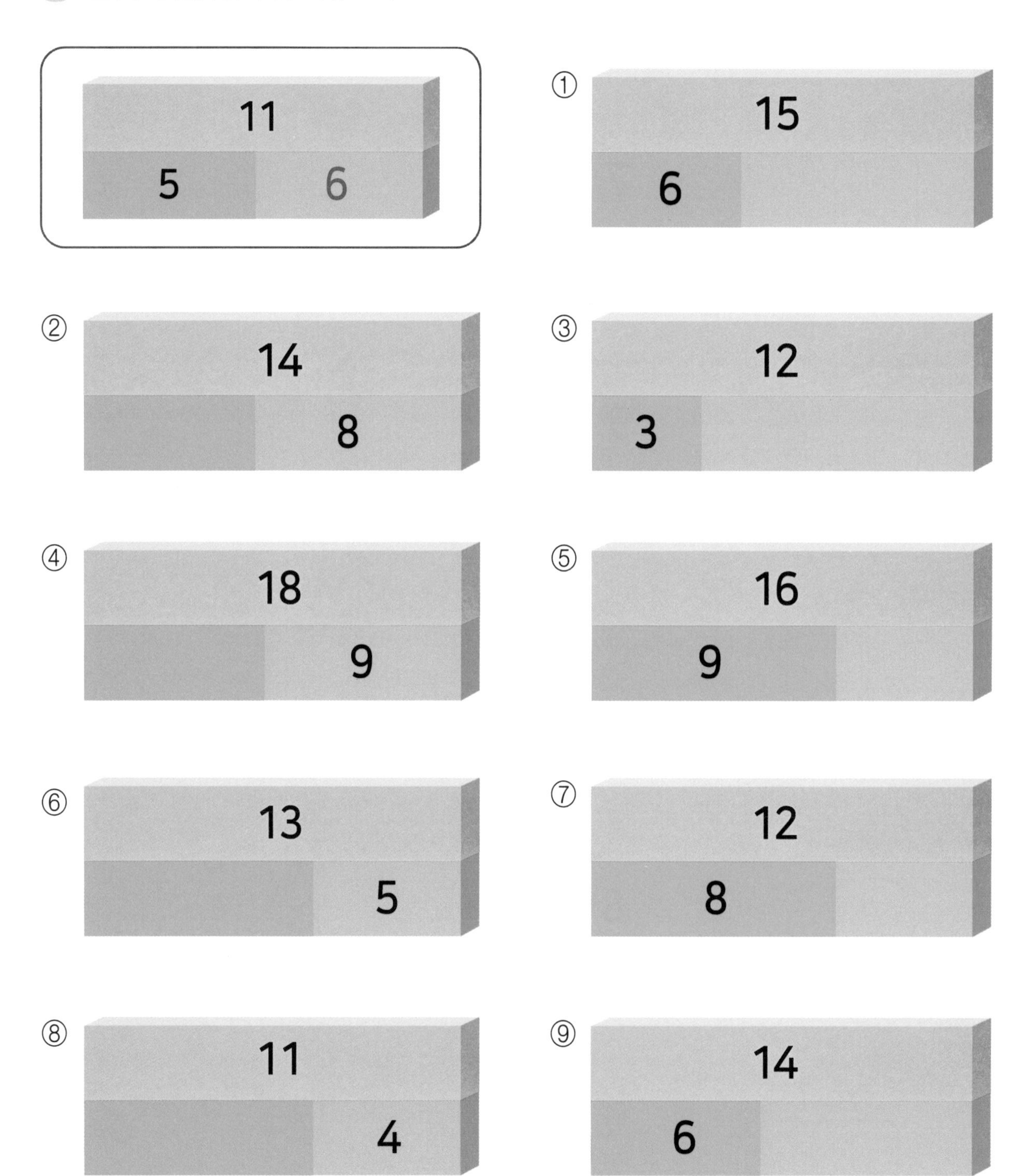

빈칸 채우기

월 일

□에 들어갈 숫자에 ◯표 하세요.

14 - 8 = 6

3 5 8

□ - 7 = 8

12 15 16

11 - □ = 8

3 4 6

□ - 4 = 8

12 14 18

15 - □ = 9

4 6 7

□ - 8 = 5

11 12 13

16 - □ = 7

6 7 9

□ - 5 = 7

11 12 15

3장의 카드 숫자를 하나씩 넣어 보면서 □에 알맞은 수를 찾아보세요.

□에 들어갈 숫자에 ◯표 하세요.

$11 - \square = 6$

5 6 7

$\square - 6 = 9$

14 15 16

$17 - \square = 8$

7 8 9

$\square - 9 = 3$

12 13 14

$12 - \square = 6$

4 5 6

$\square - 7 = 7$

13 14 15

$13 - \square = 7$

5 6 7

$\square - 5 = 9$

12 13 14

Tip
첫 번째 수를 넣어 본 다음 □에 알맞은 수를 찾는 방법을 생각해 보세요.

□에 알맞은 수를 넣어 계산식을 완성하세요.

14	-	8	=	6

① □ - 9 = 7

② 11 - □ = 4

③ □ - 4 = 9

④ 15 - □ = 9

⑤ □ - 8 = 8

⑥ 13 - □ = 4

⑦ □ - 7 = 8

⑧ 12 - □ = 7

⑨ □ - 8 = 3

⑩ 13 - □ = 6

⑪ □ - 6 = 8

⑫ 12 - □ = 8

⑬ □ - 5 = 6

Tip
어림하여 수를 넣어 보면서 □에 알맞은 수를 찾아보세요.

연산 퍼즐

이웃한 두 수의 차가 바로 위의 수가 되도록 빈 곳에 알맞은 수를 써넣으세요.

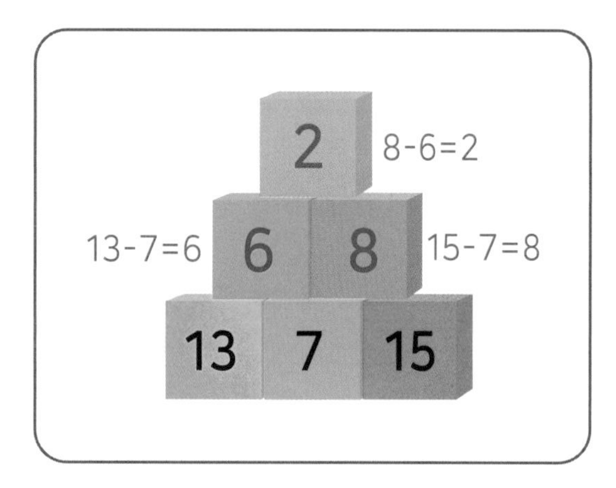

두 수의 차가 큰 수부터 차례로 선을 이어 보세요.

11 - 5

16 - 8　　13 - 6　　13 - 8　　11 - 7

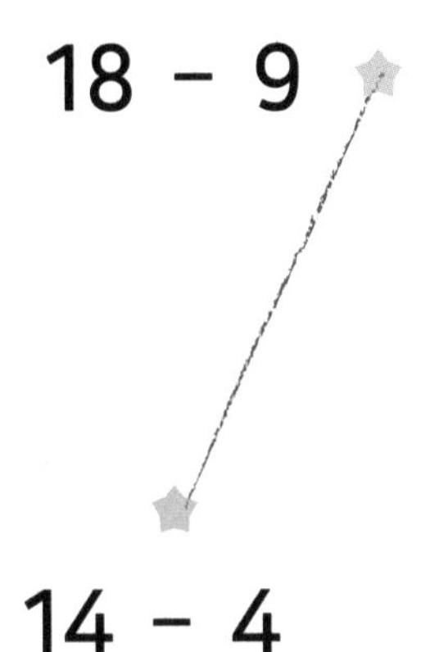

18 - 9　　12 - 9

14 - 4　　11 - 9

빼 수가 나오도록 길을 이어 보세요.

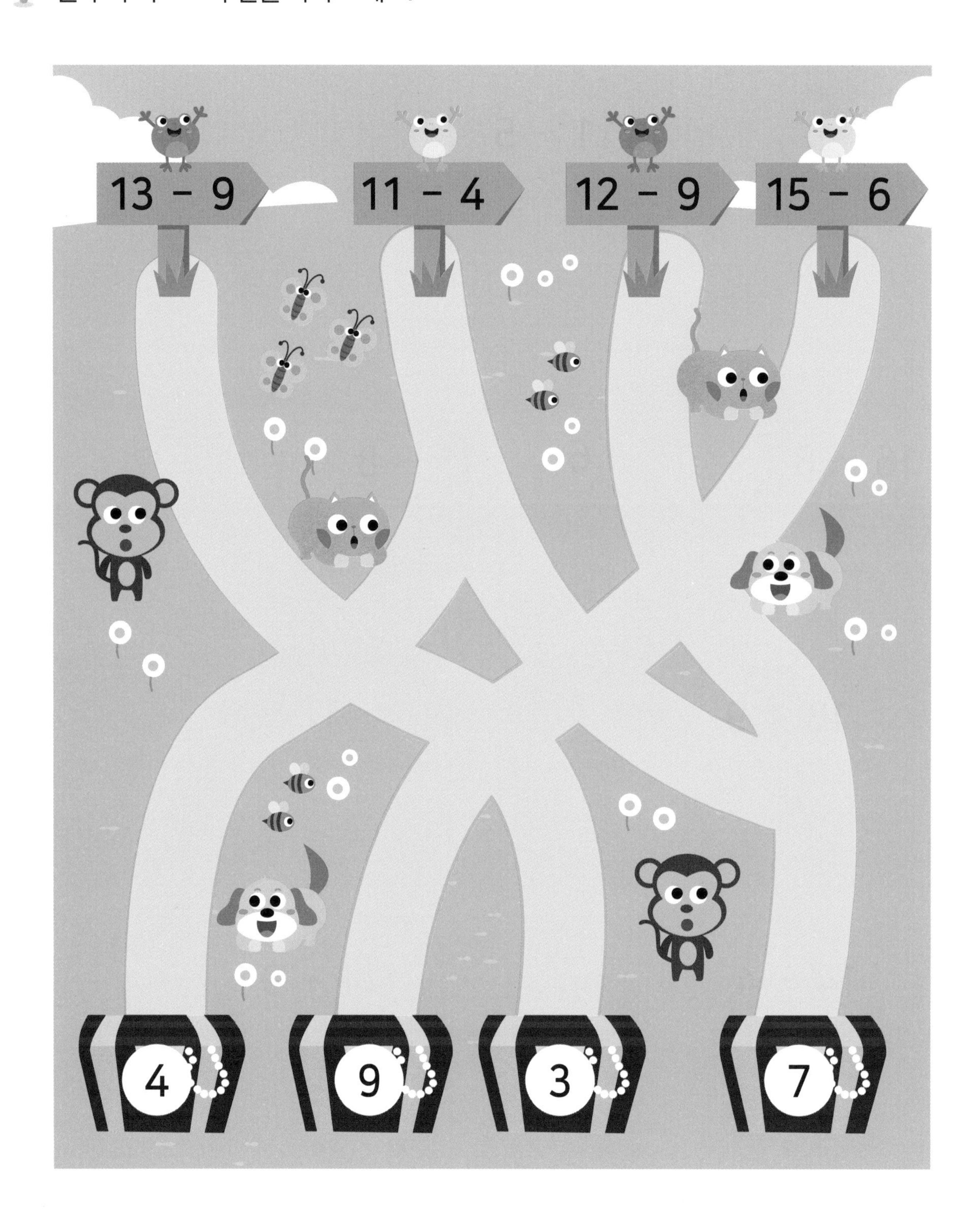

문장제

글과 그림을 보고 물음에 알맞은 식을 세우고 답을 구하세요.

컵에 우유를 따르면 11잔, 콜라는 8잔, 오렌지주스는 6잔이 나옵니다.

① 우유는 콜라보다 몇 잔을 더 마실 수 있을까요?

식 : ______________________ 답 : ______ 잔

② 우유는 오렌지주스보다 몇 잔을 더 마실 수 있을까요?

식 : ______________________ 답 : ______ 잔

문제를 읽고 알맞은 식과 답을 써 보세요.

① 공항에 13대의 비행기가 있었는데 4대가 운행을 시작하여 승객을 태우고 날아갔습니다. 남아 있는 비행기는 몇 대일까요?

식 : ____________________ 답 : ______ 대

② 교실에 12개의 풍선이 있었는데 교실에서 아이들이 놀다가 실수로 4개의 풍선을 터트렸습니다. 교실에 남아 있는 풍선은 몇 개일까요?

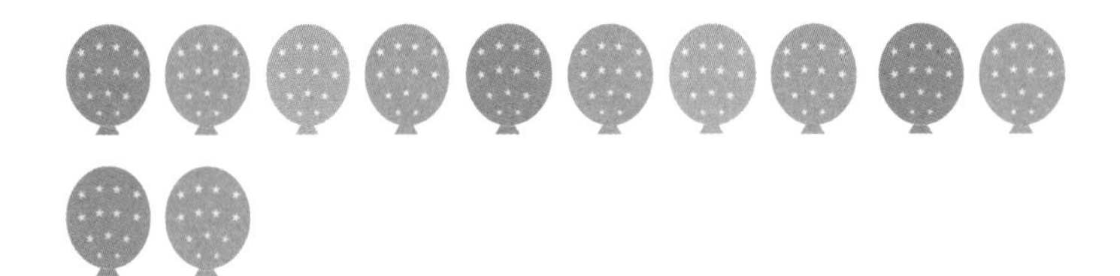

식 : ____________________ 답 : ______ 개

문제를 읽고 알맞은 식과 답을 써 보세요.

① 민수네 형은 13살입니다. 민수는 형과 5살 차이가 난다고 할 때, 민수의 나이는 몇 살일까요?

식 : ______________________ 답 : ______ 살

② 운동장에 17명의 학생들이 놀고 있었는데 그 중 8명이 여학생입니다. 운동장에 있는 남학생은 몇 명일까요?

식 : ______________________ 답 : ______ 명

③ 선생님이 민주와 영석이에게 칭찬 딱지를 나누어 주려고 합니다. 민주에게는 14개, 영석이에게는 9개를 주면 민주는 영석이보다 몇 개의 칭찬 딱지를 더 받게 될까요?

식 : ______________________ 답 : ______ 개

문제를 읽고 알맞은 식과 답을 써 보세요.

① 바둑알 통에 바둑알이 17개 들어 있는데 그 중 9개가 흰색 바둑알입니다. 바둑알 통에 들어 있는 검은색 바둑알은 몇 개일까요?

식 : ______________________ 답 : ______ 개

② 12명의 아이들이 학교 합창단을 지원하였는데 선생님께서 5명의 아이들을 선택하였습니다. 합창단이 되지 못한 아이들은 몇 명일까요?

식 : ______________________ 답 : ______ 명

③ 민섭이와 정수가 제기차기를 했는데 민섭이는 15번, 정수는 9번 제기를 찼습니다. 민섭이는 정수보다 제기를 몇 번 더 찼을까요?

식 : ______________________ 답 : ______ 번

도전! 계산왕

두 수의 뺄셈

공부한 날 월 일
점수 /8

가로와 세로에 쓰여 있는 수의 차를 빈 곳에 써넣으세요.

①

−	12	13	14
7	5		

12-7=5

②

−	12	13	14
5			

③

−	13	14	15
6			

④

−	11	12	13
4			

⑤

−	6	7	8
15	9		

15-6=9

⑥

−	4	5	6
12			

⑦

−	7	8	9
13			

⑧

−	5	6	7
11			

두 수의 뺄셈

공부한 날	월 일
점 수	/ 14

□에 알맞은 수를 써넣으세요.

① $14 - 5 = \square$

② $12 - 8 = \square$

③ $16 - 7 = \square$

④ $18 - 9 = \square$

⑤ $15 - 7 = \square$

⑥ $11 - 5 = \square$

⑦ $13 - 8 = \square$

⑧ $17 - 9 = \square$

⑨ $12 - 4 = \square$

⑩ $14 - 8 = \square$

⑪ $11 - 6 = \square$

⑫ $15 - 9 = \square$

⑬ $13 - 6 = \square$

⑭ $17 - 8 = \square$

두 수의 뺄셈

공부한 날	월 일
점 수	/5

□에 알맞은 수를 써넣으세요.

① 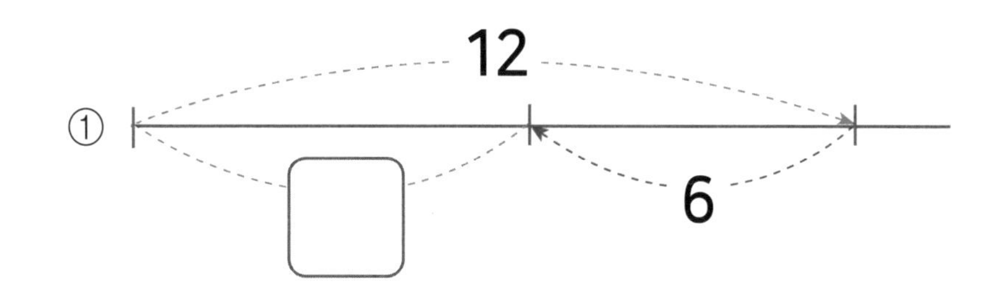

$12 - 6 = \square$

② 15 9

$15 - 9 = \square$

③ 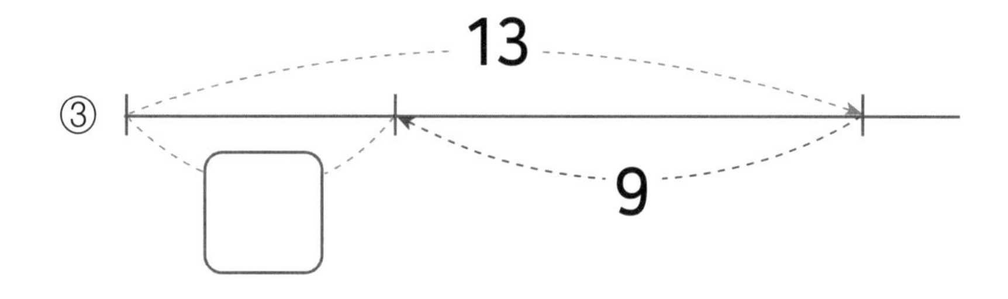

$13 - 9 = \square$

④ 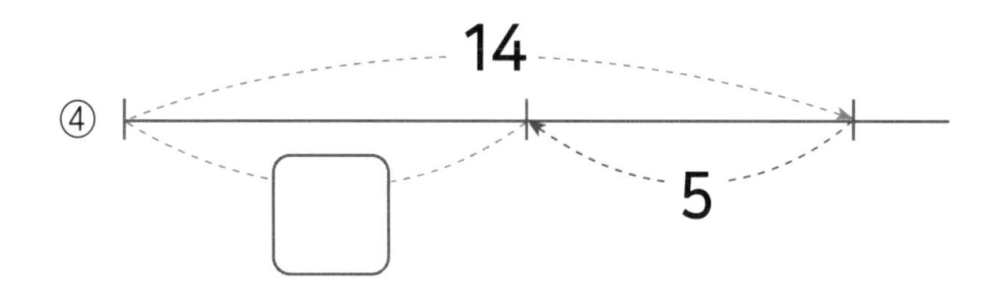

$14 - 5 = \square$

⑤ 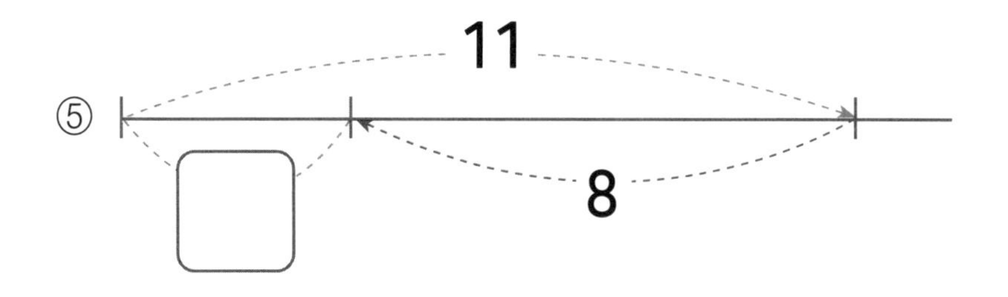

$11 - 8 = \square$

두 수의 뺄셈

공부한 날	월 일
점 수	/ 14

□에 알맞은 수를 써넣으세요.

① $12 - 8 = \square$

② $15 - 7 = \square$

③ $14 - 6 = \square$

④ $11 - 8 = \square$

⑤ $16 - 8 = \square$

⑥ $17 - 9 = \square$

⑦ $13 - 6 = \square$

⑧ $18 - 9 = \square$

⑨ $11 - 4 = \square$

⑩ $12 - 5 = \square$

⑪ $16 - 9 = \square$

⑫ $13 - 4 = \square$

⑬ $15 - 8 = \square$

⑭ $14 - 5 = \square$

두 수의 뺄셈

공부한 날	월 일
점 수	/9

빈 곳에 알맞은 수를 써넣으세요.

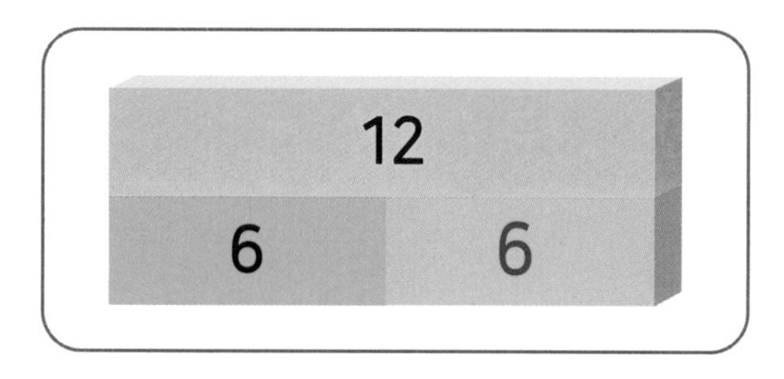

① 16

7

② 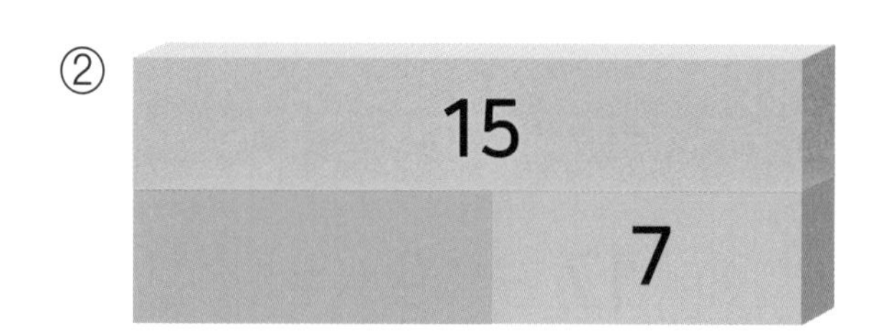

③ 11

4

④ 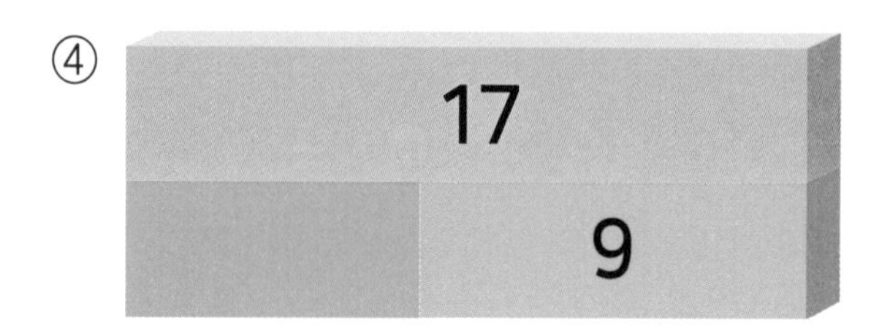

⑤ 13

8

⑥ 

⑦ 14

5

⑧ 

⑨ 11

7

두 수의 뺄셈

공부한 날	월 일
점수	/ 14

□에 알맞은 수를 써넣으세요.

① $12 - 9 = \square$

② $15 - 7 = \square$

③ $13 - 4 = \square$

④ $17 - 9 = \square$

⑤ $14 - 7 = \square$

⑥ $18 - 9 = \square$

⑦ $11 - 5 = \square$

⑧ $16 - 8 = \square$

⑨ $13 - 7 = \square$

⑩ $17 - 8 = \square$

⑪ $15 - 6 = \square$

⑫ $12 - 5 = \square$

⑬ $14 - 8 = \square$

⑭ $11 - 2 = \square$

두 수의 뺄셈

공부한 날	월 일
점수	/7

□에 들어갈 숫자에 ○표 하세요.

18 - 9 = 9

7 8 9

① □ - 8 = 5

11 12 13

② 14 - □ = 9

5 6 7

③

④ 17 - □ = 8

7 8 9

⑤ □ - 8 = 3

11 12 13

⑥ 15 - □ = 7

6 7 8

⑦

두 수의 뺄셈

공부한 날	월 일
점 수	/ 14

□에 알맞은 수를 써넣으세요.

① $15 - 7 = \square$

② $11 - 5 = \square$

③ $12 - 8 = \square$

④ $14 - 7 = \square$

⑤ $13 - 6 = \square$

⑥ $18 - 9 = \square$

⑦ $16 - 8 = \square$

⑧ $17 - 8 = \square$

⑨ $11 - 3 = \square$

⑩ $12 - 7 = \square$

⑪ $15 - 9 = \square$

⑫ $14 - 5 = \square$

⑬ $13 - 8 = \square$

⑭ $16 - 9 = \square$

두 수의 뺄셈

공부한 날	월 일
점 수	/ 8

가로와 세로에 쓰여 있는 수의 차를 빈 곳에 써넣으세요.

①

−	14	15	16
8			

②

−	11	12	13
5			

③

−	13	14	15
7			

④

−	12	13	14
9			

⑤

−	7	8	9
16			

⑥

−	6	7	8
13			

⑦

−	4	5	6
12			

⑧

−	5	6	7
14			

두 수의 뺄셈

공부한 날	월 일
점 수	/ 14

□에 알맞은 수를 써넣으세요.

① 11 - 4 = □

② 13 - 6 = □

③ 12 - 8 = □

④ 14 - 5 = □

⑤ 16 - 9 = □

⑥ 15 - 7 = □

⑦ 17 - 8 = □

⑧ 18 - 9 = □

⑨ 13 - 4 = □

⑩ 11 - 8 = □

⑪ 14 - 6 = □

⑫ 12 - 7 = □

⑬ 16 - 8 = □

⑭ 15 - 9 = □

MEMO

09 □에 알맞은 수를 써넣으세요.

15 - □ = 6

11 - □ = 6

10 가로와 세로에 쓰여 있는 수의 차를 빈 곳에 써넣으세요.

-	11	12	13
6			

-	13	14	15
9			

11 □에 알맞은 수를 써넣으세요.

11 - □ = 10

19 - □ = 10

12 문제를 읽고 알맞은 식과 답을 써 보세요.

버스에 14명이 타고 있다가 정류장에서 9명이 내렸습니다. 버스에 남아 있는 사람은 몇 명일까요?

식 : ______________________

답 : ______ 명

13 □에 알맞은 수를 써넣으세요.

□ - 5 = 6

□ - 8 = 9

14 아래 두 수의 차가 바로 위의 수가 되도록 빈 곳에 알맞은 수를 써넣으세요.

15 □에 알맞은 수를 써넣으세요.

10 - 9 + 7 = □

10 - 4 + 3 = □

16 문제를 읽고 알맞은 식과 답을 써 보세요.

수학 문제를 11문제 풀었는데 3문제를 틀렸습니다. 맞은 문제는 몇 문제일까요?

식 : ______________________

답 : ______ 문제

총괄 테스트

이름 점수

01 □에 알맞은 수를 써넣으세요.

$17 - \square = 10$

$14 - \square = 10$

02 차가 ◇ 안의 수가 되는 두 수를 찾아 선으로 이어 보세요.

11 •	• 7
13 •	• 14
8 •	• 5

03 □에 알맞은 수를 써넣으세요.

$14 - 9 = \square$

$11 - 8 = \square$

04 문제를 읽고 알맞은 식과 답을 써 보세요.

과학실에 15명의 학생들이 있었는데 중간에 7명이 야외에서의 과학 실험을 위해 과학실을 나갔습니다. 과학실에 남아 있는 학생은 몇 명일까요?

식 : ______________________

답 : ______ 명

05 □에 알맞은 수를 써넣으세요.

$\square - 9 = 10$

$\square - 6 = 10$

06 빈 곳에 알맞은 수를 써넣으세요.

16	
	7

13	
5	

07 □에 알맞은 수를 써넣으세요.

$10 - 7 + 4 = \square$

$10 - 5 + 2 = \square$

08 문제를 읽고 알맞은 식과 답을 써 보세요.

민정이는 초콜릿 12개를 가지고 있다가 친구에게 8개를 주었습니다. 민정이에게 남아 있는 초콜릿은 몇 개일까요?

식 : ______________________

답 : ______ 개

 1000math.com 

홈페이지

- 천종현수학연구소 소개 및 학습 자료 공유
- 출판 교재, 연구소 굿즈 구입

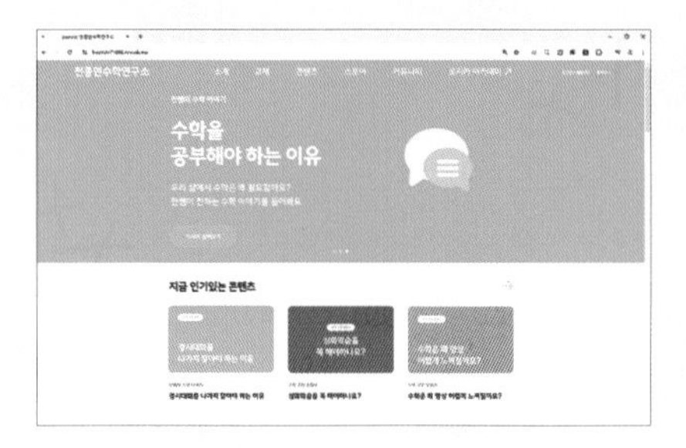

 cafe.naver.com/maths1000 

네이버카페

- 다양한 이벤트 및 '천쌤수학학습단' 진행
- 학습 상담 게시판 운영

 https://www.instagram.com/1000maths 

인스타그램

- 수학고민상담소 '천쌤에게 물어보셈' 릴스 보기
- 가장 빠르게 만나는 연구소 소식 및 이벤트

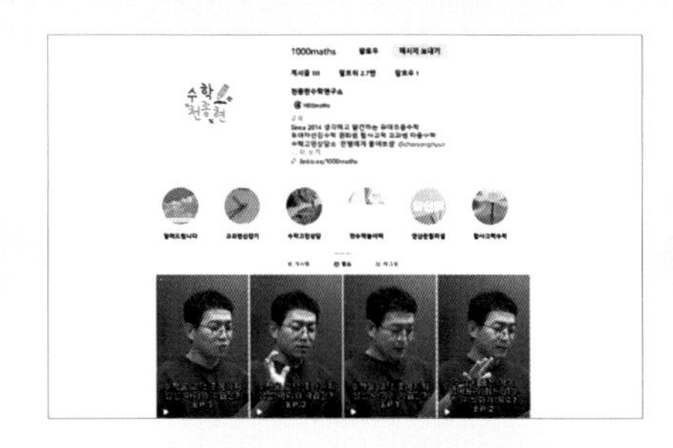

 https://www.youtube.com/@1000math4U 

유튜브

- 인스타 라이브방송 '천쌤에게 물어보셈' 다시 보기
- 고민 상담 사례 및 수학교육 기획 콘텐츠

천종현수학연구소는

유아 초등 수학 교재와 **콘텐츠**를 꾸준히 **개발**하고 있습니다. 네이버에 '**천종현수학연구소**'를 검색하시거나 **인스타그램**, **유튜브** 등 다양한 채널을 통해서도 **연산**과 **사고력 수학**, **교과 심화 학습**에 대한 **노하우**와 **정보**를 다양하게 제공합니다. 지금 바로 만나보세요.

SINCE **2014**

천종현수학연구소 출판 교재

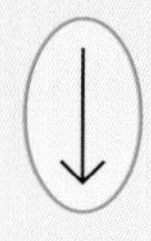

01
유아 자신감 수학

썼다 지웠다 붙였다 뗐다
우리 아이의 첫 수학 교재

02
TOP 사고력 수학

실력도 탑! 재미도 탑!
사고력 수학의 으뜸

03
교과셈

사칙연산+도형, 측정, 경우의 수까지
반복 학습이 필요한 초등 연산 완성

04
따풀 수학

다양한 개념과 해결 방법을 배우는
배움이 있는 학습지

05
초등 사고력 수학의 원리/전략

진정한 수학 실력은 원리의 이해와 문제 해결 전략에서
재미있게 읽는 17년 초등 사고력 수학의 노하우!!

하루 10분

|단계별 유아 원리 연산|

KIDS 키즈 수학 전문가가 만든 연산 교재

원리셈

천종현 지음

정답

예비 초등 7·8세 | 6권 | 10 만들어 빼기

천종현수학연구소

1주차 - 10이 되는 뺄셈

10쪽

① 5
② 3 ③ 6
④ 8 ⑤ 7
⑥ 1 ⑦ 4

11쪽

① 3 ② 12
③ 5 ④ 13
⑤ 8 ⑥ 17
⑦ 1 ⑧ 15
⑨ 9 ⑩ 16
⑪ 4 ⑫ 11

12쪽

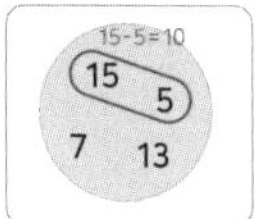

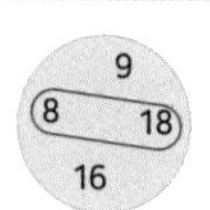
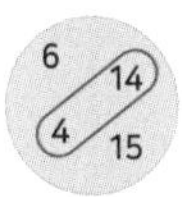
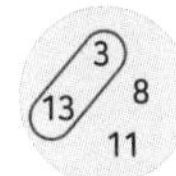
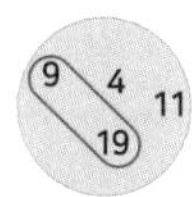

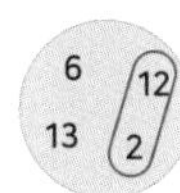

13쪽

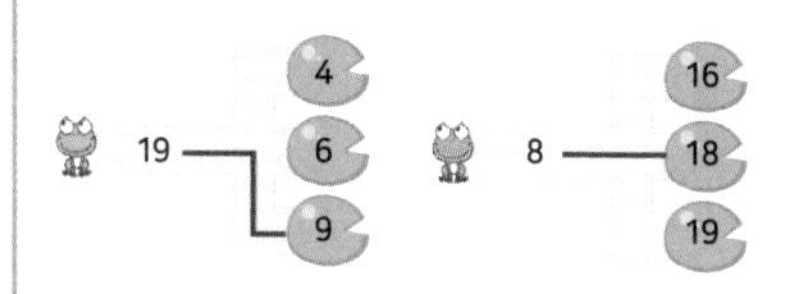

14쪽

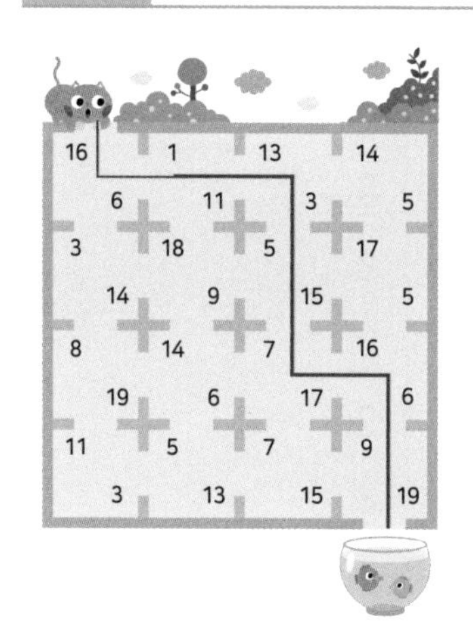

15쪽

① 1 ② 10
③ 10 ④ 8 ⑤ 10
⑥ 12 ⑦ 18 ⑧ 17

16쪽

① 3, 10 ② 10, 1
③ 9, 10 ④ 10, 8 ⑤ 6, 10
⑥ 2, 10 ⑦ 4, 10 ⑧ 10, 5

17쪽

① 15, 5
② 17, 7 ③ 13, 3
④ 18, 8 ⑤ 11, 1
⑥ 14, 4 ⑦ 16, 6

18쪽

① 11, 1 ② 18, 8
③ 14, 4 ④ 19, 9
⑤ 15, 5 ⑥ 14, 4
⑦ 17, 7 ⑧ 16, 6

19쪽

① 12-2=10, 10
② 16-6=10, 10

20쪽

① 17-7=10, 10

② 14-4=10, 10

21쪽

① 13-3=10, 10

② 15-5=10, 10

③ 14-4=10, 10

22쪽

① 11-1=10, 10

② 18-8=10, 10

③ 16-6=10, 10

2주차 - 10 만들어 빼기

24쪽

① 10, 6

② 10, 3

③ 10, 7

25쪽

① 10, 4

② 10, 6 ③ 10, 5

④ 10, 1 ⑤ 10, 3

26쪽

① 8

② 2 ③ 3

④ 7 ⑤ 9

⑥ 1 ⑦ 2

⑧ 5 ⑨ 8

⑩ 3 ⑪ 7

⑫ 6 ⑬ 4

27쪽

① 3, 7

② 6, 8

③ 7, 8

28쪽

① 3, 6

② 5, 6 ③ 7, 9

④ 2, 6 ⑤ 1, 2

29쪽

① 7 ② 9

③ 7 ④ 9

⑤ 5 ⑥ 9

⑦ 7 ⑧ 5

⑨ 9 ⑩ 9

⑪ 8 ⑫ 8

⑬ 9 ⑭ 7

30쪽

13-3-2=8	15-5-2=8
10-6+5=~~8~~ 9	10-4+3=9

18-8-3=7	10-8+7=~~8~~ 9
10-3+2=9	16-6-4=6

17-7-1=~~1~~ 9	10-7+5=8
10-5+2=7	14-4-6=4

10-7+5=8	10-9+4=5
12-2-8=2	14-4-6=~~8~~ 4

31쪽

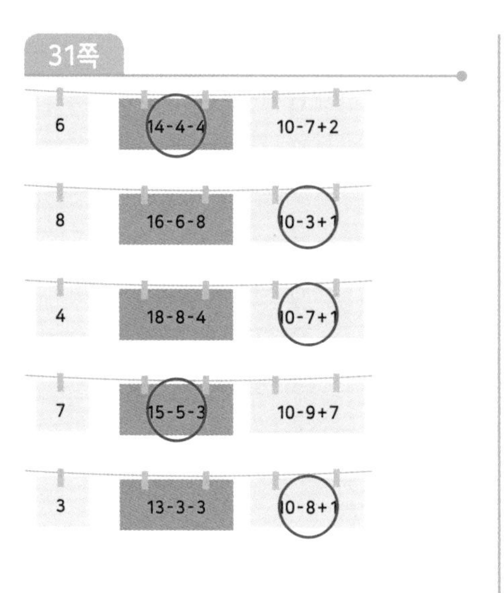

32쪽

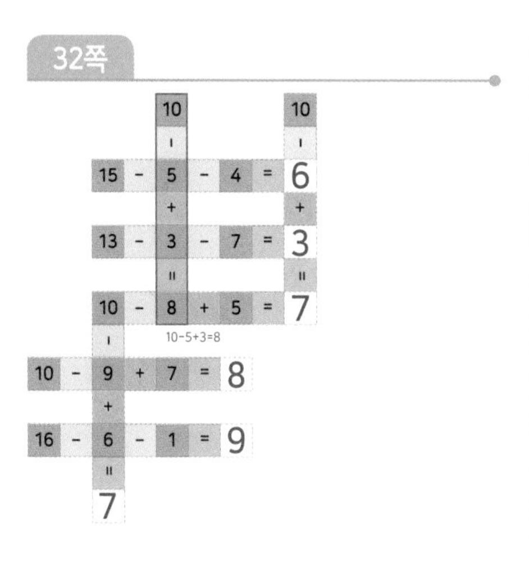

33쪽

14-4-3 14-4-3=7	□	10-7+1	◇
15-5-4	⏢	10-9+7	△
12-2-6	◇	10-5+3	△
17-7-4	⏢	10-6+3	□
13-3-3	□	10-8+2	◇

34쪽

① 6, 내

② 4, 꿈

③ 8, 은

④ 1, 수

⑤ 5, 학

⑥ 2, 왕

35쪽

① 16-6-7=3, 3

② 10-6+3=7, 7

36쪽

① 11-1-3=7, 7

② 10-5+3=8, 8

37쪽

① 15-5-4=6, 6

② 12-2-2=8, 8

③ 14-4-3=7, 7

38쪽

① 10-6+5=9, 9

② 10-4+2=8, 8

③ 10-8+3=5, 5

3주차 - 수를 갈라서 빼기

40쪽

① 3, 7

② 2, 8

③ 5, 5

41쪽

① 2, 8

② 4, 6　③ 4, 6

④ 1, 9　⑤ 4, 6

42쪽

① 1, 7, 3

② 4, 3, 7　③ 2, 7, 3

④ 6, 1, 9　⑤ 8, 1, 9

⑥ 3, 2, 8　⑦ 2, 5, 5

43쪽

① 7

② 8　③ 9

④ 9　⑤ 6

⑥ 6　⑦ 8

⑧ 7　⑨ 8

⑩ 9　⑪ 9

44쪽

① 8 ② 8
③ 7 ④ 9
⑤ 7 ⑥ 8
⑦ 8 ⑧ 9
⑨ 7 ⑩ 9
⑪ 9 ⑫ 8

45쪽

① 9, 8, 8, 7 ② 6, 6, 9, 9
③ 8, 9, 7, 7 ④ 8, 3, 9, 7

46쪽

① 4, 7
② 1, 8
③ 4, 5

47쪽

① 5, 6
② 4, 6 ③ 6, 9
④ 3, 7 ⑤ 6, 7

48쪽

① 10, 6, 8
② 10, 1, 5 ③ 10, 3, 6
④ 10, 2, 9 ⑤ 10, 8, 9
⑥ 10, 4, 8 ⑦ 10, 1, 9

49쪽

① 4
② 7 ③ 6
④ 7 ⑤ 8
⑥ 7 ⑦ 8
⑧ 8 ⑨ 7
⑩ 4 ⑪ 6

50쪽

① 5 ② 6
③ 3 ④ 6
⑤ 3 ⑥ 6
⑦ 5 ⑧ 6
⑨ 4 ⑩ 6
⑪ 5 ⑫ 7

51쪽

① 8, 4, 7, 9 ② 9, 6, 7, 7
③ 4, 6, 6, 9 ④ 9, 9, 9, 7

52쪽

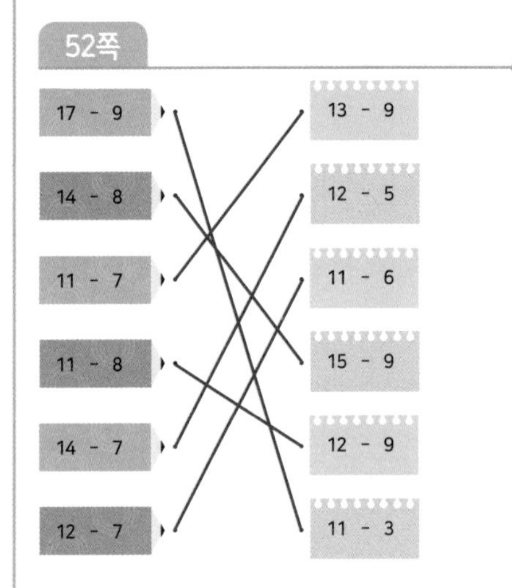

53쪽

① 7, 3
② 9, 7 ③ 9, 7
④ 9, 4 ⑤ 7, 9
⑥ 9, 8 ⑦ 3, 4

54쪽

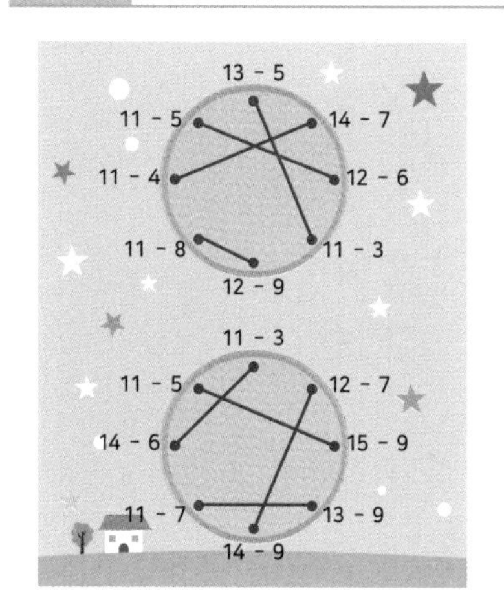

4주차 - 도전! 계산왕

56쪽

① 6
② 2 ③ 4
④ 7 ⑤ 1
⑥ 5 ⑦ 8

57쪽

① 6 ② 7
③ 7 ④ 7
⑤ 9 ⑥ 6
⑦ 9 ⑧ 9
⑨ 5 ⑩ 8
⑪ 3 ⑫ 9

58쪽

① 6, 8
② 2, 5 ③ 5, 9
④ 3, 4 ⑤ 4, 6

59쪽

① 4 ② 9
③ 9 ④ 8
⑤ 8 ⑥ 7
⑦ 9 ⑧ 8
⑨ 8 ⑩ 9
⑪ 5 ⑫ 9

60쪽

① 2, 8
② 2, 8 ③ 3, 7
④ 3, 7 ⑤ 7, 3

61쪽

① 7 ② 9
③ 9 ④ 9
⑤ 8 ⑥ 9
⑦ 6 ⑧ 8
⑨ 8 ⑩ 8
⑪ 4 ⑫ 6

62쪽

① 5, 7
② 2, 6 ③ 4, 5
④ 3, 8 ⑤ 1, 3

63쪽

① 9 ② 8
③ 6 ④ 8
⑤ 6 ⑥ 8
⑦ 9 ⑧ 8
⑨ 5 ⑩ 4
⑪ 8 ⑫ 7

64쪽

① 10, 2, 5
② 10, 8, 9 ③ 10, 3, 8
④ 10, 1, 4 ⑤ 10, 4, 8
⑥ 10, 2, 4 ⑦ 10, 5, 6

65쪽

① 6 ② 7
③ 9 ④ 8
⑤ 3 ⑥ 5
⑦ 9 ⑧ 9
⑨ 6 ⑩ 7
⑪ 7 ⑫ 8

5주차 - 두 수의 뺄셈

68쪽

① 8, 9 ② 4, 5, 6

③ 7, 8, 9 ④ 5, 6, 7

⑤ 6, 5, 4 ⑥ 8, 7, 6

⑦ 9, 8, 7 ⑧ 8, 7, 6

69쪽

① 4 ② 4

③ 9 ④ 9

⑤ 6 ⑥ 9

⑦ 8 ⑧ 8

⑨ 7 ⑩ 6

⑪ 7 ⑫ 5

⑬ 9 ⑭ 9

70쪽

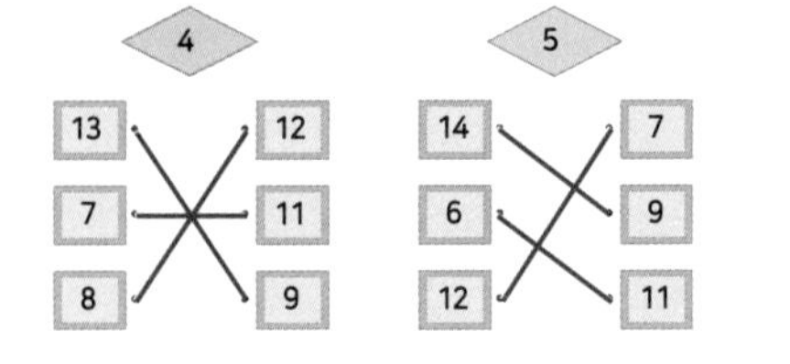

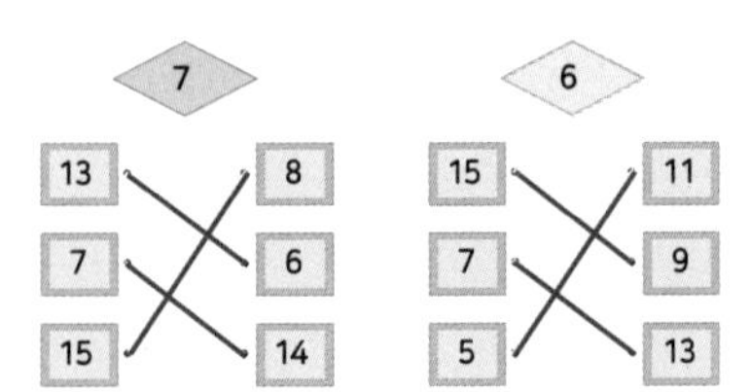

71쪽

① 7, 7

② 3, 3

③ 7, 7

④ 9, 9

72쪽

① 7, 7

② 6, 6

③ 8, 8

④ 4, 4

⑤ 7, 7

73쪽

① 4, 4

② 6, 6

③ 8, 8

④ 6, 6

⑤ 8, 8

74쪽

① 9

② 6 ③ 9

④ 9 ⑤ 7

⑥ 8 ⑦ 4

⑧ 7 ⑨ 8

75쪽

14 - 8 = 6 3 5 (8)	15 - 7 = 8 12 (15) 16
11 - 3 = 8 (3) 4 6	12 - 4 = 8 (12) 14 18
15 - 6 = 9 4 (6) 7	13 - 8 = 5 11 12 (13)
16 - 9 = 7 6 7 (9)	12 - 5 = 7 11 (12) 15

76쪽

11 - 5 = 6 (5) 6 7	15 - 6 = 9 14 (15) 16
17 - 9 = 8 7 8 (9)	12 - 9 = 3 (12) 13 14
12 - 6 = 6 4 5 (6)	14 - 7 = 7 13 (14) 15
13 - 6 = 7 5 (6) 7	14 - 5 = 9 12 13 (14)

총괄 테스트

09 □에 알맞은 수를 써넣으세요.

15 － □ ＝ 6

11 － □ ＝ 6

10 가로와 세로에 쓰여 있는 수의 차를 빈 곳에 써넣으세요.

－	11	12	13
6			

－	13	14	15
9			

11 □에 알맞은 수를 써넣으세요.

11 － □ ＝ 10

19 － □ ＝ 10

12 문제를 읽고 알맞은 식과 답을 써 보세요.

버스에 14명이 타고 있다가 정류장에서 9명이 내렸습니다. 버스에 남아 있는 사람은 몇 명일까요?

식 : ____________________

답 : ______ 명

13 □에 알맞은 수를 써넣으세요.

□ － 5 ＝ 6

□ － 8 ＝ 9

14 아래 두 수의 차가 바로 위의 수가 되도록 빈 곳에 알맞은 수를 써넣으세요.

15 □에 알맞은 수를 써넣으세요.

10 － 9 ＋ 7 ＝ □

10 － 4 ＋ 3 ＝ □

16 문제를 읽고 알맞은 식과 답을 써 보세요.

수학 문제를 11문제 풀었는데 3문제를 틀렸습니다. 맞은 문제는 몇 문제일까요?

식 : ____________________

답 : ______ 문제

이름 점수

총괄 테스트

01 □에 알맞은 수를 써넣으세요.

17 − □ = 10

14 − □ = 10

02 차가 ◇ 안의 수가 되는 두 수를 찾아 선으로 이어 보세요.

11 •	• 7
13 •	• 14
8 •	• 5

03 □에 알맞은 수를 써넣으세요.

14 − 9 = □

11 − 8 = □

04 문제를 읽고 알맞은 식과 답을 써 보세요.

과학실에 15명의 학생들이 있었는데 중간에 7명이 야외에서의 과학 실험을 위해 과학실을 나갔습니다. 과학실에 남아 있는 학생은 몇 명일까요?

식: ____________

답: ______ 명

05 □에 알맞은 수를 써넣으세요.

□ − 9 = 10

□ − 6 = 10

06 빈 곳에 알맞은 수를 써넣으세요.

16
□ 7

13
5 □

07 □에 알맞은 수를 써넣으세요.

10 − 7 + 4 = □

10 − 5 + 2 = □

08 문제를 읽고 알맞은 식과 답을 써 보세요.

민정이는 초콜릿 12개를 가지고 있다가 친구에게 8개를 주었습니다. 민정이에게 남아 있는 초콜릿은 몇 개일까요?

식: ____________

답: ______ 개

77쪽

	① 16
② 7	③ 13
④ 6	⑤ 16
⑥ 9	⑦ 15
⑧ 5	⑨ 11
⑩ 7	⑪ 14
⑫ 4	⑬ 11

78쪽

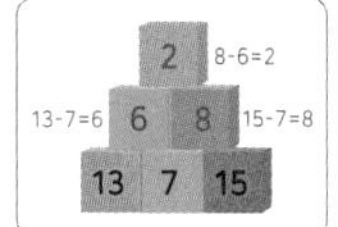

5
9 4
2 11 7

79쪽

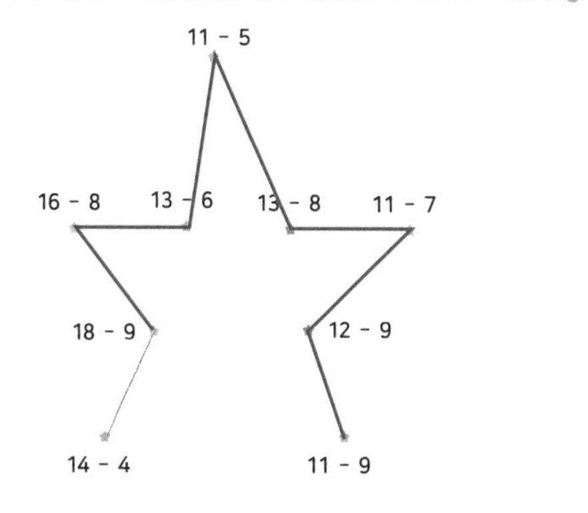

80쪽

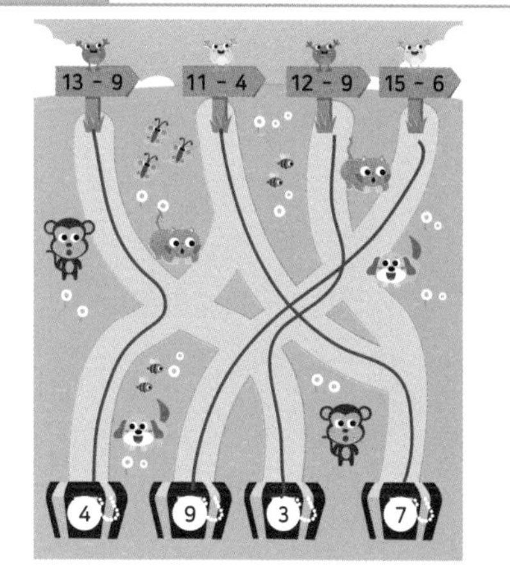

81쪽

① 11-8=3, 3

② 11-6=5, 5

82쪽

① 13-4=9, 9

② 12-4=8, 8

83쪽

① 13-5=8, 8

② 17-8=9, 9

③ 14-9=5, 5

84쪽

① 17-9=8, 8

② 12-5=7, 7

③ 15-9=6, 6

6주차 - 도전! 계산왕

86쪽

① 6, 7	② 7, 8, 9
③ 7, 8, 9	④ 7, 8, 9
⑤ 8, 7	⑥ 8, 7, 6
⑦ 6, 5, 4	⑧ 6, 5, 4

87쪽

① 9	② 4
③ 9	④ 9
⑤ 8	⑥ 6
⑦ 5	⑧ 8
⑨ 8	⑩ 6
⑪ 5	⑫ 6
⑬ 7	⑭ 9

88쪽

① 6, 6

② 6, 6

③ 4, 4

④ 9, 9

⑤ 3, 3

89쪽

① 4 ② 8
③ 8 ④ 3
⑤ 8 ⑥ 8
⑦ 7 ⑧ 9
⑨ 7 ⑩ 7
⑪ 7 ⑫ 9
⑬ 7 ⑭ 9

90쪽

① 9
② 8 ③ 7
④ 8 ⑤ 5
⑥ 9 ⑦ 9
⑧ 8 ⑨ 4

91쪽

① 3 ② 8
③ 9 ④ 8
⑤ 7 ⑥ 9
⑦ 6 ⑧ 8
⑨ 6 ⑩ 9
⑪ 9 ⑫ 7
⑬ 6 ⑭ 9

92쪽

18 - 9 = 9 (7, 8, (9))

① 13 - 8 = 5 (11, 12, (13))

② 14 - 5 = 9 ((5), 6, 7)

③ 12 - 5 = 7 (11, (12), 13)

④ 17 - 9 = 8 (7, 8, (9))

⑤ 11 - 8 = 3 ((11), 12, 13)

⑥ 15 - 8 = 7 (6, 7, (8))

⑦ 16 - 9 = 7 (15, (16), 17)

93쪽

① 8 ② 6
③ 4 ④ 7
⑤ 7 ⑥ 9
⑦ 8 ⑧ 9
⑨ 8 ⑩ 5
⑪ 6 ⑫ 9
⑬ 5 ⑭ 7

94쪽

① 6, 7, 8 ② 6, 7, 8
③ 6, 7, 8 ④ 3, 4, 5
⑤ 9, 8, 7 ⑥ 7, 6, 5
⑦ 8, 7, 6 ⑧ 9, 8, 7

95쪽

① 7 ② 7
③ 4 ④ 9
⑤ 7 ⑥ 8
⑦ 9 ⑧ 9
⑨ 9 ⑩ 3
⑪ 8 ⑫ 5
⑬ 8 ⑭ 6

총괄 테스트 정답

총괄 테스트

이름 점수

01 □에 알맞은 수를 써넣으세요.

17 − [7] = 10

14 − [4] = 10

02 차가 ◇ 안의 수가 되는 두 수를 찾아 선으로 이어 보세요.

◇ 6

11 — 5, 13 — 7, 8 — 14

03 □에 알맞은 수를 써넣으세요.

14 − 9 = [5]

11 − 8 = [3]

04 문제를 읽고 알맞은 식과 답을 써 보세요.

과학실에 15명의 학생들이 있었는데 중간에 7명이 야외에서의 과학 실험을 위해 과학실을 나갔습니다. 과학실에 남아 있는 학생은 몇 명일까요?

식: 15 - 7 = 8

답: 8 명

05 □에 알맞은 수를 써넣으세요.

[19] − 9 = 10

[16] − 6 = 10

06 빈 곳에 알맞은 수를 써넣으세요.

16	
9	7

13	
5	8

07 □에 알맞은 수를 써넣으세요.

10 − 7 + 4 = [7]

10 − 5 + 2 = [7]

08 문제를 읽고 알맞은 식과 답을 써 보세요.

민정이는 초콜릿 12개를 가지고 있다가 친구에게 8개를 주었습니다. 민정이에게 남아 있는 초콜릿은 몇 개일까요?

식: 12 - 8 = 4

답: 4 개

09 □에 알맞은 수를 써넣으세요.

15 − [9] = 6

11 − [5] = 6

10 가로와 세로에 쓰여 있는 수의 차를 빈 곳에 써넣으세요.

−	11	12	13
6	5	6	7

−	13	14	15
9	4	5	6

11 □에 알맞은 수를 써넣으세요.

11 − [1] = 10

19 − [9] = 10

12 문제를 읽고 알맞은 식과 답을 써 보세요.

버스에 14명이 타고 있다가 정류장에서 9명이 내렸습니다. 버스에 남아 있는 사람은 몇 명일까요?

식: 14 - 9 = 5

답: 5 명

13 □에 알맞은 수를 써넣으세요.

[11] − 5 = 6

[17] − 8 = 9

14 아래 두 수의 차가 바로 위의 수가 되도록 빈 곳에 알맞은 수를 써넣으세요.

3

4 7

9 13 6

15 □에 알맞은 수를 써넣으세요.

10 − 9 + 7 = [8]

10 − 4 + 3 = [9]

16 문제를 읽고 알맞은 식과 답을 써 보세요.

수학 문제를 11문제 풀었는데 3문제를 틀렸습니다. 맞은 문제는 몇 문제일까요?

식: 11 - 3 = 8

답: 8 문제

세분화된 원리 학습

다양한 유형의 연습

충분한 연습

성취도 확인

○ 마술 같은 논리 수학 매직

전 영역에 걸쳐 균형 있는 논리력, 문제해결력 기르기

○ 생각하고 발견하는 수학 로지카

최고 수준 학습을 위한 사고력, 문제해결력 기르기

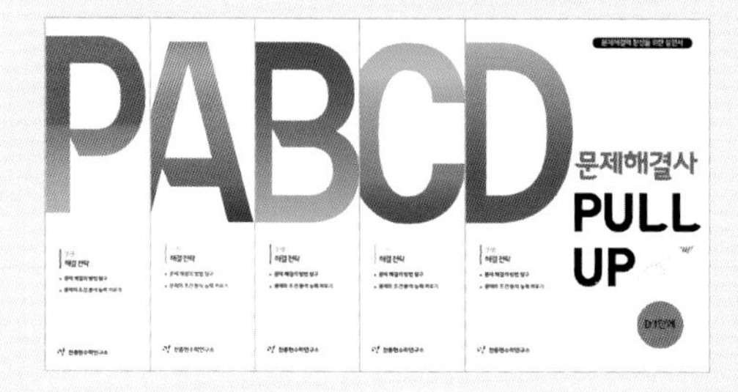

○ 문제해결력 향상을 위한 실전서
문제해결사 PULL UP

학년별 실전 고난도 문제해결을 위한 브릿지 학습

천종현수학연구소의 학원 프로그램, 로지카 아카데미

"수학으로 세상을 다르게 보는 아이로!"
"생각하고 발견하는 수학, **로지카 아카데미**에서 시작하세요."

20년 차 수학교육전문가 천종현 소장과 함께 생각하는 힘을 기를 수 있는 곳, 로지카 아카데미입니다. 생각하고 발견하는 수학을 통해 아이들은 새로운 세상을 만나게 될 것입니다. 오늘부터 아이의 수학 여정을 로지카 아카데미와 함께하세요.

▶ ▷ ▷ ▷ **로지카 아카데미** www.logicaedu.kr

천종현수학연구소의 교재 흐름도

	4세	5세	6세	7세	초 1
출판 교재					
유자수 · 탑사고력	만 3세	만 4세	만 5세	K단계	P단계
원리셈		5, 6세	6, 7세	7, 8세	초등 1
교과셈					초등 1
따풀				7세	초등 1
학원 교재					
매직 · 로지카			K단계	P단계	A단계
풀업				P단계	A단계